BeckscheReihe

Denker

BsR 540

Paul Tillich (1886–1965) ist ohne Zweifel eine der profiliertesten Gestalten der Religionsphilosophie und evangelischen Theologie unseres Jahrhunderts. 1933 vom Nazi-Deutschland in die Emigration getrieben, erzielte Tillich in den USA bald eine außergewöhnliche Breitenwirkung. Sein theologisches Werk ist durch Offenheit gegenüber Kultur, Philosophie und den nicht-christlichen Religionen ausgezeichnet. Es ist an der Zeit, Tillichs Denken auch in Europa stärker zu rezipieren, denn es bildet ein entscheidendes Gegengewicht gegen jede Form von religiösem Fundamentalismus.

Werner Schüßler, geb. 1955, Dr. phil. habil., Dr. theol., ist apl. Professor für Philosophie an der Universität Trier sowie Akademischer Oberrat und Ständiger Lehrbeauftragter für Philosophie an der Theologischen Fakultät Trier. Von ihm liegen Buchpublikationen und zahlreiche Aufsätze, Beiträge, Lexikon-Artikel und Rezensionen vor, vornehmlich zu Paul Tillich, Karl Jaspers, G. W. Leibniz, Meister Eckhart, Thomas von Aquin, zur Metaphysik, Natürlichen Theologie, Erkenntnistheorie, Religionsphilosophie, Philosophischen Anthropologie und Fundamentaltheologie.

Die Reihe „Denker" wird herausgegeben von Otfried Höffe, Professor für Philosophie an der Universität Tübingen. Über die weiteren Bände der Reihe siehe S. 132.

WERNER SCHÜSSLER

Paul Tillich

VERLAG C.H. BECK

Gudrun und Dr. med. Heiner Martini
in herzlicher Verbundenheit

Die Deutsche Bibliothek – CIP-Einheitsaufnahme

Schüßler, Werner:
Paul Tillich / Werner Schüßler. – Orig.-Ausg. – München :
Beck, 1997
Beck'sche Reihe ; 540 : Denker
ISBN 3 406 38939 2
NE: GT

Originalausgabe
ISBN 3 406 38939 2

Umschlagentwurf: Uwe Göbel, München
Umschlagabbildung: Foto von W. H. Tobey/Harvard University

Gesamtherstellung: C. H. Beck'sche Buchdruckerei, Nördlingen
Gedruckt auf säurefreiem, alterungsbeständigem Papier
(hergestellt aus chlorfrei gebleichtem Zellstoff)
Printed in Germany

Inhalt

Anhang

Abkürzungen

GW	Gesammelte Werke
Dogmatik	Dogmatik. Marburger Vorlesung von 1925
EW	Ergänzungs- und Nachlaßbände zu den gesammelten Werken
Habil.	Der Begriff des Übernatürlichen, sein dialektischer Charakter und das Prinzip der Identität, dargestellt an der supranaturalistischen Theologie vor Schleiermacher
Ms.	Manuskript (Dt. Paul-Tillich-Archiv)
RR	Religiöse Reden
ST	Systematische Theologie

Vorwort

Eine Einführung in das Werk des evangelischen Theologen und Religionsphilosophen Paul Tillich bedeutet ein doppeltes Wagnis. Zum einen besteht die Gefahr, in der Fülle des Materials zu ersticken und keinen „roten Faden" zu entdecken. Zum anderen tritt nach fast zwei Jahrzehnten intensiver Beschäftigung mit dem Denken Tillichs das ein, was Tillich in einem Tübinger Vortrag von 1963 einmal so formuliert hat: „Wenn jemand acht Tage in Amerika ist, kann er ein Buch über Amerika schreiben; wenn er acht Monate da ist, kann er einen Artikel schreiben; wenn er acht Jahre da ist, kann er nichts mehr schreiben, weil er weiß, wie geheimnisvoll jede andere geistige Wirklichkeit ist."

Momentan findet sich auf dem deutschen Buchmarkt keine zufriedenstellende Einführung in das Denken Paul Tillichs. Ein Versuch in dieser Richtung stellt der von Renate Albrecht und mir herausgegebene Band *Paul Tillich – Sein Werk*[1] dar; das Buch ist aber inzwischen vergriffen. Zudem wird dort eine chronologische Darstellung geboten.

Demgegenüber will ich in der vorliegenden Einführung eine systematische Darstellung versuchen, die sich an Grundmustern von Tillichs Denken orientiert, also an Strukturen, die sich durchhalten und die in verschiedenen Zusammenhängen und Themenbereichen immer wieder auftauchen oder neu entfaltet werden. Solche Strukturen sind: das Identitätsprinzip und die damit zusammenhängende Kritik des Supranaturalismus, das Rechtfertigungsprinzip und die damit verbundene Überwindung des Theismus, das Programm einer Theologie der Kultur, das Programm einer Theologie der Religionen, das notwendige Aufeinanderbezogensein von Philosophie und Theologie sowie die grundsätzliche Zweideutigkeit der menschlichen Situation. Von jedem dieser fünf Aspekte her kann man einen Zugang zum Zentrum Tillichschen Denkens gewinnen, da sie auch untereinander noch einmal stark verwoben sind. Eine solche systematisch-strukturale Darstellung geht von der Voraussetzung aus, daß Tillichs Denken keine grundsätzlichen Brüche aufweist.

Dieser Band wäre nicht zustande gekommen ohne das ermutigende Interesse und die sachdienlichen Hinweise von Freunden und Bekannten. An dieser Stelle seien besonders erwähnt: Dr. Hermann Ebert, Prof. Lic. Dr. Dr. h.c. mult. Gert Hummel, Waltraud und Hanns Lefèbre, Prof. Dr. Karl-Heinz Lembeck, Uta Link, Pfr. Klaus Niewerth, Katharina Ritter und Prof. Dr. Erdmann Sturm.

Trier, im Mai 1996 *Werner Schüßler*

I. Ein Leben auf der Grenze

Paul Tillich wird am 20. August 1886 in Starzeddel (heute: Starosiedle/Polen) geboren; der Vater Johannes Tillich hat dort die Stelle des lutherischen Pfarrers inne.

1890 übersiedelt die Familie nach Schönfließ/Neumark (heute: Trzcinsko Zdrój/Polen), wo Johannes Tillich zum Oberpfarrer und Superintendenten ernannt wird. Ab 1900 wohnt die Familie in Berlin. Der frühe Tod der Mutter Mathilde geb. Dürselen im Jahre 1903 muß Tillich schwer getroffen haben.

Schon in seinen letzten Gymnasialjahren ist Tillich von der Philosophie fasziniert. Als er sich nach dem Abitur am Friedrich-Wilhelms-Gymnasium zum Wintersemester 1904 an der Theologischen Fakultät der Universität Berlin immatrikuliert, kennt er die Geschichte der Philosophie bereits gut und Kant sowie Fichte gründlich. Im Sommersemester 1905 setzt er sein Studium in Tübingen fort. Für die nächsten vier Semester wählt er die Universität Halle, die zu dieser Zeit in Theologenkreisen einen guten Ruf hat. Der bedeutendste Theologe ist dort Martin Kähler, dessen Einfluß sich bei Tillich besonders nachhaltig auswirken wird. Nach dem Ende des Sommersemesters 1907 kehrt Tillich nach Berlin zurück; als geborener Brandenburger muß er das erste theologische Examen vor dem Konsistorium der Mark Brandenburg ablegen. Im Herbst 1908 meldet er sich zum Examen, das er mit dem Prädikat „Recht gut" besteht.

Gewöhnlich folgt auf das theologische Examen das Vikariat, das im Regelfall zwei Jahre dauert. Doch Tillichs Ausbildung weicht hiervon ab. Er vertritt von März bis Oktober 1909 als Pfarrverweser in Lichtenrade Pfarrer Ernst Klein. Dies bedeutet, daß der 23jährige die volle Verantwortung für eine Gemeinde übernimmt. Aus dieser Zeit sind verschiedene Predigten erhalten, die schon die systematische Kraft Tillichs spüren lassen (vgl. EW VII).

Inzwischen hat Tillich ein intensives Schelling-Studium aufgenommen mit dem Ziel, über diesen Philosophen des Deutschen Idealismus eine theologische Lizentiaten-Dissertation auszuarbeiten. Aufgrund eines Stipendiums, das ihm die Stadt Berlin gewährt, reicht er jedoch zunächst eine philosophische Dissertation zu Schelling an der Universität Breslau ein. Die Arbeit trägt den Titel *Die religionsgeschichtliche Konstruktion in Schellings positiver Philosophie, ihre Voraussetzungen und Prinzipien.* Nach erfolgreichem Rigorosum wird Tillich am 22. August 1910 zum Doktor der Philosophie promoviert. Darauf tritt er am 1. April 1911 sein Lehrvikariat in Nauen an. In dieser Zeit setzt er sein Schelling-Studium fort. Mit der Arbeit über *Mystik und Schuldbewußtsein in Schellings philosophischer Entwicklung* wird er am 22. April 1912 an der Theologischen Fakultät Halle zum Lizentiaten der Theologie promoviert. Nach dem Vikariatsjahr steht das zweite theologische Examen ins Haus, das Tillich am 4. Mai 1912 ebenfalls mit der Note „Recht gut" absolviert. Aufgrund seiner zwei Dissertationen werden ihm die schriftlichen Arbeiten erlassen; so muß er nur noch die Examenspredigt halten. Als Predigttext liegt ihr 1 Kor. 3,11–15 zugrunde.

Bevor die Ordination am 18. August 1912 in der Berliner St.-Matthäus-Kirche erfolgt, hilft Tillich im Juni/Juli 1912 in der Gemeinde Berlin-Treptow aus. Nach der Ordination beginnt Ende August die Hilfspredigerzeit an der Erlöserkirche in Berlin-Moabit. Hier kommt er zum ersten Mal in seinem Leben mit Menschen der unteren sozialen Schicht in Berührung; Tillich lernt hautnah das menschliche und wirtschaftliche Elend des Arbeitermilieus kennen – es ist seine erste Begegnung mit dem Proletariat. Diese Eindrücke haben den Grund für seinen späteren Weg zum religiösen Sozialismus gelegt.

Im Sommer 1912 machen sich Tillich und sein Freund Richard Wegener Gedanken darüber, wie man die Gebildeten, die der Kirche fernstehen, wieder ansprechen könne. Die beiden Freunde beschließen, in Privatwohnungen Vorträge zu veranstalten, zu denen Studenten, Künstler und Akademiker eingeladen werden. Schon bald bürgert sich für diese Veranstaltungen der Name „Vernunft-Abende“ ein. Damit kommt das Prinzip deutlich zum Ausdruck: Es ist ein Bemühen des Denkens gemeint, das überzeugen will, nicht ein christlicher Bekehrungsversuch. Dieser apologetische Grundzug soll ein bleibendes Element von Tillichs späterem Denken werden.

Nach Abschluß der Hilfspredigerzeit entscheidet sich Tillich für die akademische Laufbahn. Nachdem er in Halle über Habilitationsmöglichkeiten verhandelt hat, beginnt er 1913 die Arbeit an einer theologischen Habilitationsschrift.

Am 28. September 1914 heiratet Tillich Greti Wever, die er im Sommer 1913 kennengelernt hat. Während Bekannte Tillich offen vor einer Heirat warnen, scheint er sich seiner Sache sicher. Greti selbst ist allerdings nicht ganz frei von Zweifeln, ist ihr doch die Religion fremd.

Anfang Oktober 1914, nur wenige Tage nach der Heirat, meldet sich Tillich als freiwilliger Feldgeistlicher in den Ersten Weltkrieg. Zu Anfang ist in seinen Kriegsbriefen noch eine gewisse optimistische Stimmung zu erkennen, die aber schon nach kurzer Zeit verfliegt. In Bieuxy (Frankreich) wird Tillich als Geistlicher in die ersten Kampfhandlungen einbezogen. Am 30./31. Oktober 1915 erlebt er die furchtbaren Kämpfe bei Sommepy-Tahure mit. Doch das Schwerste steht ihm noch bevor: die Hölle von Verdun.

Nachdem sich Tillich nach der Schlacht von Verdun erholt hat, erhält er Urlaub für seine Habilitation in Halle. Die Arbeit, die er in der Zwischenzeit fertiggestellt hat, trägt den Titel: *Der Begriff des Übernatürlichen, sein dialektischer Charakter und das Prinzip der Identität, dargestellt an der supranaturalistischen Theologie vor Schleiermacher.* Sie war bei der Fakultät zunächst auf Bedenken gestoßen, die ihm Professor Wilhelm Lütgert in einem Brief vom 8. Juli 1915 mitteilt: Die Arbeit sei zu sehr philosophisch, und sie entspreche nicht dem Titel; sie sei nicht wirklich historisch, sondern „rein logisch, rein dialektisch“. Sie gehe von den Voraussetzungen der Identitätsphilosophie wie von einer selbstverständlichen Sache aus.

Der Supranaturalismus würde von der Dialektik aus, die mit ihr gegeben sei, geprüft und bekomme so konsequenterweise immer unrecht. Jedoch will man Tillich in Anbetracht der schwierigen Kriegssituation die akademische Laufbahn nicht verbauen. So fordert man keine Umarbeitung, sondern begnügt sich mit einer Änderung des Titels, in dem klar zum Ausdruck kommen soll, daß die Arbeit eben „rein formal logisch-dialektisch" sei, „lediglich die Kritik eines Begriffes" (EW V, 101 f.). Am 3. Juli 1916 findet die nichtöffentliche Probevorlesung mit anschließendem Kolloquium und am 20. Juli 1916 die öffentliche Antrittsvorlesung statt.

In den Jahren 1917/18 ist Tillich nicht mehr in das große Kriegsgeschehen einbezogen. Trotzdem oder vielleicht gerade deswegen erleidet er Ende März 1918 einen nervlichen Schwächeanfall, was zu einem kurzen Lazarettaufenthalt führt. Am 30. Juli 1918 wird er schließlich in die Heimat versetzt und am 15. Dezember 1918 aus dem Heer entlassen.

Während der Kriegsjahre hat Tillichs Ehe Schaden erlitten; Greti hat sich inzwischen dem Tillich-Freund Richard Wegener zugewendet. Als sie 1920 schließlich ein zweites Kind von Wegener erwartet – ein erstes Kind kam bereits 1919 zur Welt, es starb aber nach wenigen Tagen –, willigt Tillich in die Scheidung ein, die am 22. November 1921 ausgesprochen wird.

In diese frühe Berliner Zeit fällt auch Tillichs Entscheidung für den Sozialismus, die nicht zuletzt mit bedingt ist durch das Kriegsverhängnis, das er als Konsequenz einer bestimmten Gesellschaftsordnung und bestimmter, damit verknüpfter Ideen begreift. Seit 1919 trifft sich Tillich regelmäßig mit Eduard Heimann, Carl Mennicke, Alexander Rüstow, Arnold Wolfers und Adolf Löwe, dem sog. Kairos-Kreis, wie Tillich ihn später nennen wird. Organ dieses Arbeitskreises werden die *Blätter für Religiösen Sozialismus*, die von 1920 bis 1927 herauskommen und in denen Tillich verschiedene Beiträge publiziert. Er verlangt darin von der Kirche und ihren Vertretern eine positive Stellungnahme gegenüber dem Sozialismus und der Sozialdemokratie, und er glaubt an die Möglichkeit einer Vereinigung von Christentum und Sozialismus. Auch die ab 1930 herauskommenden *Neuen Blätter für den Sozialismus* sind entscheidend von Tillich geprägt.

Aus persönlichen und finanziellen Gründen habilitiert sich Tillich 1919 nach Berlin um. Als Privatdozent bietet er nun Lehrveranstaltungen an der Theologischen Fakultät an. Seine erste Vorlesung im Sommersemester 1919 trägt den Titel „Das Christentum und die Gesellschaftsprobleme der Gegenwart". Spätere Vorlesungen befassen sich u.a. mit Religionsphilosophie (1920 und 1922/23), dem religiösen Gehalt und der religiösen Bedeutung der griechischen und abendländischen Philosophie (1920/21), der mittelalterlichen Philosophie (1921/22), den staats- und wirtschaftspolitischen Richtungen (1922). Wichtig in dieser Zeit ist sein programmatischer Vortrag „Über die Idee einer Theologie der Kultur", den er am 16. April 1919 vor der Kant-Gesellschaft hält; hier wird der Grund gelegt für sein gesamtes späteres Denken.

1920 lernt Tillich auf einem Kostümfest Hannah Werner kennen. Hannah ist zu dieser Zeit aber bereits mit dem Kunstlehrer Albert Gottschow liiert, den sie auch bald darauf heiratet. Ein Jahr später jedoch verläßt sie ihren Ehemann und entscheidet sich für Tillich. Nachdem Hannahs Ehe mit Albert Gottschow geschieden ist, heiraten die beiden am 22. März 1924 in Friedersdorf. Es ist in letzter Zeit viel über Tillichs Ehe geschrieben worden. Was daran wahr oder falsch ist, kann wohl kein Außenstehender beurteilen. Doch eines sollte man nicht übersehen: Trotz aller Spannungen in dieser Ehe konnte Tillich doch immer sagen: „Hannah stand mir stets am nächsten." Margot Hahl verweist auf die Bindung von Schelling an Caroline und meint abschließend: Diese Ehe kann man nicht „nach herkömmlichen Maßstäben" beurteilen (EW V, 162).

In diesen frühen zwanziger Jahren arbeitet Tillich hart, um „berufungsreif" zu werden. So erscheint 1923 sein *System der Wissenschaften nach Gegenständen und Methoden*, das Emmanuel Hirsch als eine der reifsten Leistungen neuerer deutscher systematischer Philosophie ansieht. In diesem Werk versucht Tillich, eine Ortsbestimmung der Theologie im Kreis der Wissenschaften vorzunehmen. Die Berufung sollte nun auch nicht mehr lange auf sich warten lassen. Nach fünfjähriger Privatdozententätigkeit wird er 1924 zum Extraordinarius für Systematische Theologie an der Philipps-Universität Marburg ernannt.

Über die Marburger Zeit schreibt Tillich in seinen *Autobiographischen Betrachtungen*: „Während meiner dreisemestrigen Vorlesungszeit dort erlebte ich die ersten radikalen Auswirkungen der neuen Orthodoxie auf die Theologiestudenten: das theologische Denken befaßte sich nicht mehr mit kulturellen Problemen. Theologen wie Schleiermacher, Harnack, Troeltsch, Otto wurden verachtet und verworfen, soziale und politische Gedanken aus der theologischen Diskussion verbannt. Der Gegensatz zu meinen Berliner Erlebnissen war überwältigend, zuerst deprimierend, dann anfeuernd – ein neuer Weg mußte gefunden werden.“ (GW XII, 69) Diesen neuen Weg sucht Tillich in seiner Marburger Dogmatik-Vorlesung aus dem Sommersemester 1925. Sie ist ein entscheidender Schritt auf dem Wege zu seiner späteren *Systematischen Theologie*. Hier formuliert er den für seine ganze Theologie gültigen Satz: „Theologie muß Angriff sein.“ Diese *Dogmatik*, die für das Jahr 1930 in zwei Bänden unter dem Titel „Die Gestalt der religiösen Erkenntnis“ im Otto Reichl Verlag, Darmstadt, angekündigt wird, aber schließlich doch nicht erscheint, ist nicht Tillichs erster systematischer Versuch. Ein solcher geht schon auf das Jahr 1913 zurück (seine Publikation ist derzeit in Vorbereitung). Die Idee, die Welt durch ein System des Denkens zu erobern, bewegt Tillich jedoch bereits seit seiner Tübinger Studentenzeit, wie er in einem Vortrag aus dem Jahre 1963 bekennt.

In die Marburger Zeit fällt auch Tillichs Begegnung mit Martin Heidegger. Tillich sagt dazu: „Erst nach Jahren wurde mir der Einfluß dieser Begegnung auf mein eigenes Denken voll bewußt. Ich widerstrebte, ich versuchte zu bejahen, ich übernahm die neue Denkmethode, weniger ihre Ergebnisse.“ (GW XII, 69)

Hans Georg Gadamer, seinerzeit Privatdozent in Marburg, erinnert sich rückblickend an Tillich: „Ich möchte denken, daß

Tillich in Marburg nicht sehr glücklich war. Die theologische Fakultät war damals durch Bultmann, v. Soden und indirekt von Heidegger sehr stark bestimmt und sehr kritisch gegenüber der dialektischen Gewandtheit von Tillich. Das eigentliche Problem, um das es damals ging, war, wie man die große Überlieferung einordnen solle. Wir Heidegger-Schüler fanden Tillichs Art viel zu wenig fundiert in wirklicher Forschung, und ich muß sagen, daß uns Tillich in gewisser Weise später recht gegeben hat. Trotzdem waren wir ihm freundschaftlich gesonnen, er war ja sehr charmant, und man konnte ihm nicht böse sein. Die Wärme und die ungeheure Gutmütigkeit von Tillich verhinderten, daß unsere kleinen Frechheiten die Atmosphäre trübten." (EW V, 166)

Ein wichtiger Beitrag aus der Zeit in Marburg ist der 1924 in Gießen gehaltene Vortrag „Rechtfertigung und Zweifel", in dem Tillich die Rechtfertigungslehre auf das intellektuelle Gebiet anwendet: Hiernach ist nicht nur der Sünder gerechtfertigt vor Gott, sondern auch der Zweifler.

In diese Periode fällt auch Tillichs Beziehung zu den „Berneuchenern", einer aus der Jugendbewegung hervorgegangenen, dann stark in die liturgische Bewegung übergehenden evangelischen kirchlichen Erneuerungsbewegung. Von Tillich übernehmen die Berneuchener den Begriff des symbolischen Denkens, der ihrem entschiedenen Gegensatz zu jeder Form eines supranaturalistischen Denkens entspricht.

Zum Sommersemester 1925 wird Tillich als Ordinarius für Religionswissenschaft an die Sächsische Technische Hochschule Dresden berufen. Dresden ist zu dieser Zeit eine Stadt mit höchst anregender geistig-kultureller Atmosphäre. So darf es nicht verwundern, wenn gerade hier Tillichs bekannte Schrift *Die religiöse Lage der Gegenwart* (1926) entsteht. Was die Vorlesungen betrifft, so kann Tillich sie auf die theologische Arbeit gründen, die er in Marburg geleistet hat. Er liest seine Marburger Dogmatik, jetzt allerdings unter einem anderen Titel. Verglichen mit der Terminologie seiner Dogmatik gebraucht er neue Begriffe, zum Beispiel ‚Seinsverfehlung' statt ‚Sünde'. Damit gelingt es ihm, auch diejenigen unter seinen

Hörern zu erreichen, die sich von der Kirche abgewendet haben. Doch ist seine Sprache insgesamt immer noch sehr akademisch. Dreißig Jahre später übt er eine scharfe Selbstkritik: „Die Schriften, besonders die, die ich gegen Ende der zwanziger Jahre geschrieben habe, waren nach meiner heutigen Beurteilung der deutschen Sprache kein Deutsch, sie waren Philosophendeutsch, und von da aus gemessen waren sie sehr deutsch." (Ms.)

Am 24. Dezember 1925 wird Tillich das theologische Ehrendoktorat durch die Theologische Fakultät Halle verliehen. Der Dekan und frühere Lehrer Tillichs, Professor Wilhelm Lütgert, bescheinigt ihm in der Verleihungsurkunde „begrifflichen Scharfsinn und dialektische Gewandtheit", mit denen er „ein religionsphilosophisches Programm entwickelt und in den Rahmen einer allgemeinen Wissenschaftslehre eingestellt sowie durch seine Lehrtätigkeit die akademische Jugend für sein Ziel, Philosophie und Gesellschaftswissenschaft mit der lebendigen Religion zu verbinden, interessiert und begeistert hat" (GW XIII, 582).

Für das Wintersemester 1927/28 erhält Tillich zusätzlich zu Dresden einen Ruf als ordentlicher Honorarprofessor für Religionsphilosophie und Kulturphilosophie an die Theologische Fakultät der Universität Leipzig. Seine Antrittsvorlesung, die im Juni 1927 stattfindet, trägt den Titel „Die Idee der Offenbarung". Seine Vorlesungen in Leipzig sind die gleichen wie in Dresden – wenn auch unter anderem Titel.

Tillich fühlt aber schon bald, daß Dresden für ihn nur ein Übergang sein kann. So bemüht er sich schon seit dem Frühjahr 1928 intensiv darum, an der Theologischen Fakultät der Universität Berlin eine Professur zu erhalten. Doch man hat Bedenken gegen seine Theologie. Tillich sucht diese Bedenken zu zerstreuen, indem er in einem Brief an Professor Erich Seeberg vom 1. November 1928 schreibt: „Was die Richtigkeit meiner Theologie betrifft, so verstehe ich zwar Ihre Bedenken. Sie sind aber wesentlich darin begründet, daß ich mich zwar lebensmäßig von der Kirche her, aber arbeitsmäßig zu der Kirche hin entwickelt habe. Diese zweite Entwicklung ist unserer

Lage gemäß eher langsam und mühsam. Aber ich halte sie für fruchtbarer als den selbstverständlichen Einsatz in der kirchlichen Situation. Daran liegt es, daß noch einige Dokumente unveröffentlicht sind, aus denen die Erreichung des Zieles klar sichtbar ist. Das größte, meine Dogmatik, liegt seit Jahren in meinen Kollegheften und zahlreiche Vorarbeiten zum Druck." (Ms.)

Nachdem die letzten Hoffnungen auf einen Wechsel nach Berlin geschwunden sind, sieht Tillich schließlich, daß nur noch der Übergang in die philosophische Fakultät übrigbleibt, um von Dresden wegzukommen. Am 24. April 1929 wird er gegen den Willen der Fakultät als Nachfolger von Hans Cornelius zum Ordinarius für Philosophie und Soziologie an die Universität Frankfurt am Main berufen. Besonders Hans Cornelius spricht sich gegen Tillich als seinen Nachfolger aus, mit der Begründung, sein *System der Wissenschaften* von 1923 stehe wissenschaftlich auf sehr niedrigem Niveau, enthalte Banalitäten aller Art und arbeite mit unklaren Begriffen.

Die Frankfurter Jahre werden für Tillich eine sehr fruchtbare Zeit. Besonders anregend erlebt er die gute Zusammenarbeit mit seinen Kollegen, vor allem diejenige mit Max Horkheimer und Theodor W. Adorno. Er hält in diesen Jahren Vorlesungen über Geschichtsphilosophie, Sozialpädagogik und Religionsphilosophie, über Schelling und die innere Krise des deutschen Idealismus, über die Entwicklung der Philosophie von der Spätantike zur Renaissance, über die Sozialethik des Thomas von Aquin und die moderne katholische Sozialethik, über die Geschichte der philosophischen Ethik, über Hegel sowie über die philosophischen Ideen der deutschen Klassik von Lessing bis Novalis. Seine letzte große Vorlesung über die französische Philosophie des 17. und 18. Jahrhunderts steht schon im Schatten der politischen Ereignisse des Winters 1932/33.

Zunächst glaubt Tillich noch, daß er im nationalsozialistischen Deutschland irgendein Wirkungsfeld behalten könne. Erst auf eine Warnung von Max Horkheimer hin begreift Tillich, daß er auf Dauer nicht in Deutschland bleiben kann.

Am 13. April 1933 wird er aufgrund seiner programmatischen Schrift *Die sozialistische Entscheidung* und wegen seines Einsatzes für jüdische Studenten als Dekan der Philosophischen Fakultät von seinem Hochschullehreramt suspendiert. In dieser schwierigen Situation erhält er im Oktober unerwartet vom Union Theological Seminary in New York das Angebot, dort erst einmal für ein Jahr als Gastprofessor zu lehren und gleichzeitig auch Philosophie-Vorlesungen an der gegenüberliegenden Columbia-Universität zu halten. Tillich sagt zu, und so kommen er, seine Frau Hannah und die gemeinsame, inzwischen 7jährige Tochter Erdmuthe Anfang November 1933 in New York an. Im Vordergrund steht nun das Erlernen der englischen Sprache, mit der Tillich bis zu seinem Lebensende Schwierigkeiten haben wird.

Von einer steilen Karriere kann am „Union“ keine Rede sein. Die dortigen Vorlesungsverzeichnisse weisen aus: seit 1933 „Lecturer on Philosophy of Religion and Systematic Theology“ und seit 1936 „Lecturer on Philosophical Theology“. Erst 1937 wird Tillich „Associate Professor of Philosophical Theology“ und 1940 schließlich „Professor of Philosophical Theology“. Er liest in diesen Jahren über Religionsphilosophie und Systematische Theologie. Ab 1945 hält er dann anstelle der Religionsphilosophie Vorlesungen über „Church History“ und „History of Christianity“.

Sehr schnell wird Tillich durch seine ausgedehnte Vortragstätigkeit über die Grenzen des „Union“ hinaus bekannt. So wird er schon 1934 in die berühmte „Theological Discussion Group“ berufen, und nur wenige Jahre später wird ihm die Mitgliedschaft im „Philosophy Club“ angeboten, dem nur herausragende Persönlichkeiten angehören.

In diesen Jahren rückt in wachsendem Maße die Tiefenpsychologie und ihr innerer Bezug zur Religion in Tillichs Blickfeld. Er empfindet sie für die Theologie als einen Glücksfall, was er auch in seinen Kollegs immer wieder betont. Er bezieht die Tiefenpsychologie in sein theologisches Denken ein und kann auf diese Weise in der Sprache der Gegenwart alte theologische Begriffe erläutern.

Sind es zu Anfang nur fünfzehn bis zwanzig Studenten, die Tillichs Vorlesungen besuchen, so ändert sich dies bald; neben den „Seminaristen" besuchen „graduate students" der Columbia-Universität, das New Yorker Stadtpublikum und deutsche Emigranten die übervollen Veranstaltungen. Auf die Frage: „Was wollten sie hören?", gibt Rollo May, ein damaliger Student Tillichs, heute ein bekannter Psychoanalytiker, folgende Antwort: „Nicht einen glänzenden Dozenten – Tillich quälte sich noch immer mit der englischen Sprache. Auch nicht einen lebhaften Redner – er war genau das Gegenteil hiervon. Der Grund für Tillichs Bedeutung als Lehrer lag darin, daß seine Vorlesungen stets eine ‚life-and-death-significance' an sich trugen. Er hielt uns im Bann, weil jede Aussage von Bedeutung war ... Wenn Tillich in seinem gebrochenen Englisch sprach, spürte jeder von uns Hörern, daß er lebendige Wahrheiten hörte; viele von uns erlebten das ein erstes Mal."[2]

Durch seine Vortragstätigkeit zu Fragen der Emigration wird Tillich sehr schnell in den Emigrantenkreisen bekannt, und so wählt man ihn zum Vorsitzenden der im Winter 1936/37 gegründeten Hilfsorganisation „Selfhelp for German Emigrees", die später umbenannt wird in „Selfhelp for Emigrees from Central Europe".

Nachdem sich Tillich nach Ausbruch des Krieges in verschiedenen Publikationen gegen das nationalsozialistische Deutschland ausgesprochen hat, werden Regierungsstellen auf ihn aufmerksam und fordern ihn auf, an der psychologischen Kriegsführung gegen Deutschland teilzunehmen. So verfaßt er für „Die Stimme Amerikas", den Rundfunksender des „Office for War Information" (OWI), zwischen 1942 und 1944 109 Reden „an meine deutschen Freunde" (vgl. EW III). Und als im Juni 1944 der „Council for a Democratic Germany" von deutschen Emigranten gegründet wird, wählt man Tillich zum Chairman.

Nach dem Krieg kann Tillich 1948 das erste Mal wieder nach Deutschland reisen. Er hält in verschiedenen Städten Vorträge, aber eine dauernde Rückkehr kommt für ihn nicht mehr in Frage. Eine neu aufkommende Orthodoxie hat sich inzwischen breitgemacht, und man sieht in einer Theologie wie der Tillichs eher eine Gefahr. In den nächsten Jahren wird er jedoch in regelmäßigen Abständen zu Vorlesungen und Vorträgen Deutschland besuchen.

Zu seinen Vorlesungen über Systematische Theologie gab Tillich den Studenten zwar schon seit Jahren Skripten an die Hand, aber immer noch fehlt eine umfassende Darstellung. 1951 erscheint endlich der erste Band seiner *Systematischen Theologie* mit den beiden Teilen „Vernunft und Offenbarung" und „Sein und Gott". Der zweite Band kommt sechs Jahre später heraus und enthält als dritten Teil „Die Existenz und der Christus". Der dritte und letzte Band erscheint 1963 mit den beiden Teilen „Das Leben und der Geist" und „Die Geschichte und das Reich Gottes". Dieses Hauptwerk Tillichs greift in komprimierter und zum Teil neuer Weise die Gedanken der früheren Schriften auf.

Während seiner Tätigkeit am „Union" hat Tillich von Zeit zu Zeit auch in Fakultätsgottesdiensten zu predigen. So entsteht mit den Jahren eine stattliche Anzahl von Predigten, die seine erste Predigtsammlung *The Shaking of the Foundations* von 1948 ermöglichen. Sein zweiter Predigtband *The New Being* erscheint 1955, der dritte 1962 unter dem Titel *The Eternal Now.* Wenn Tillich gefragt wurde, welches der beste Weg sei, in sein Denken einzudringen, antwortete er meist: „Lest zuerst meine Predigten!"

Mit seiner Pensionierung am „Union" 1955 ist Tillichs akademische Laufbahn noch lange nicht abgeschlossen. Noch im Herbst desselben Jahres wird er als „University Professor" an die Harvard-Universität berufen; das bedeutet akademisch das Höchste, was man in den Vereinigten Staaten erreichen kann. In dieser Zeit nimmt seine Vortragstätigkeit quer durch Amerika ständig zu, und seine Bekanntheit wächst in einem Maße wie nie zuvor. Nach Beendigung der Tätigkeit in Harvard im Jahre 1962 nimmt er das Angebot der „Federated Theological Faculty" von Chicago an, die „John Nuveen Professur" zu übernehmen. Gemeinsame Seminare mit dem Religionshistoriker Mircea Eliade lassen in dieser Zeit Tillichs Interesse an den nicht-christlichen Religionen wachsen.

Am Morgen nach seinem letzten Vortrag vom 11. Oktober 1965 über „Die Bedeutung der Religionsgeschichte für den systematischen Theologen" erleidet Tillich einen schweren Herzanfall, von dem er sich nicht mehr erholen kann. Er stirbt am 22. Oktober 1965 im Billings Hospital in Chicago. Tillichs Urne wird auf dem Friedhof von East Hampton beigesetzt, wo die Familie ein Haus besitzt. Am Pfingstsonntag 1966 wird seine Asche der Erde des Paul-Tillich-Parks in New Harmony/Indiana anvertraut.

Wer Tillichs Werke aufmerksam studiert, wird – offen oder versteckt – immer auch etwas über ihn selbst erfahren. Denn Tillich ist alles andere als ein reiner Intellektualist. Er entwickelt seine Gedanken nicht am Schreibtisch über dem Studium von Büchern, sondern in der persönlichen Begegnung, aus der eigenen Erfahrung mit Menschen und Wirklichkeiten. Und diese Erfahrungen schlagen sich in seinen Werken nieder. Ein Beispiel hierfür findet sich in der Schrift *Dynamics of faith* von 1957. Dort schreibt Tillich unter der Überschrift „Die Gemeinschaft des Glaubens und ihre Ausdrucksformen": „Das Leben des Glaubens ist Leben in der Gemeinschaft des Glaubens; das gilt nicht nur von den gemeinschaftlichen Handlungen und Institutionen, sondern auch vom inneren Leben ihrer Glieder. Wenn ein Mensch sich vorübergehend vom gemeinschaftlichen Tun, zum Beispiel vom gottesdienstlichen Leben der Glaubensgemeinschaft, absondert, so bedeutet das nicht notwendig eine Trennung von der Gemeinschaft überhaupt. Es kann sogar dazu führen, daß das geistige Leben der Gemeinschaft dadurch gestärkt wird. Denn oft kehrt nach einer freiwilligen Absonderung ein solcher Mensch als Erneuerer der Gemeinschaft und ihrer Symbole zurück." (GW VIII, 190) Tillich spricht hier ohne Zweifel aus der eigenen Erfahrung. Es ist bekannt, daß er sich in den zwanziger Jahren vom Leben der Glaubensgemeinschaft abgesondert hat; aber er ist auch wieder zu ihr zurückgekehrt und hat mit seinem Denken befruchtend auf diese Gemeinschaft eingewirkt.

In diesem Sinne meint Renate Albrecht, die Herausgeberin der *Gesammelten Werke Paul Tillichs* und frühere Schülerin aus der Dresdener Zeit, daß Tillich nichts geschrieben habe, worin nicht irgendwie immer auch seine persönlichen Erfahrungen mitspielten; und dies gelte selbst für ein so abstraktes Werk wie seine *Systematische Theologie*.[3]

Nicht ganz unrecht hat auch Carl Heinz Ratschow, wenn er meint, die Schriften Tillichs seien der unmittelbare Ausdruck seiner Person.[4] Aber ich halte es für falsch, wenn Ratschow die Forderung stellt, die Schriften Tillichs auf seine Person hin auszulegen.[5] Die Person Tillichs mag hilfreich sein zum Verständnis seiner Schriften, aber das bedeutet nicht, daß diese Schriften nicht auch für sich selbst sprächen. Nicht die Person Tillichs ist die Mitte der vielen Schriften und Themen; Mitte seines gesamten Denkens ist vielmehr das, „was uns unbedingt angeht".

Tillich hat nur sehr wenige Bücher geschrieben. Das meiste sind Aufsätze und Beiträge, die aus Vorträgen hervorgegangen sind. Wenn Ratschow meint, Tillich verzettele sich in seinen verschiedenen Entwürfen,[6] so wird er ihm mit diesem Urteil nicht gerecht. „Reden und Essays können wie Bohrer sein, mit denen man in unberührtes Gestein eindringt", sagt Tillich selbst dazu. „Sie versuchen, zunächst Breschen zu schlagen, manchmal erfolgreich, manchmal vergebens. Bei meinen Versuchen, alle kulturellen Gebiete auf den religiösen Mittelpunkt zu beziehen, mußte ich diese Methode anwenden." (GW XII, 70) Begreift man mit Tillich die Theologie notwendig als ‚Kulturtheologie', so wird alles Thema der Theologie – und in Tillichs Denken ist dieses Programm realisiert. Tillichs „fast grenzenlose Impressionabilität", wie Theodor W. Adorno es einmal formuliert hat, muß wohl als Voraussetzung einer solchen Theologie gelten. Adorno hat recht, wenn er Tillich als „ein wandelndes System von Antennen" bezeichnet.[7]

In seiner Autobiographie *Auf der Grenze* von 1936 schreibt Tillich, daß der Begriff der Grenze geeignet sei, Symbol für seine persönliche und geistige Entwicklung zu sein: „Fast auf jedem Gebiet war es mein Schicksal, zwischen zwei Möglichkeiten der Existenz zu stehen, in keiner ganz zu Hause zu sein, gegen keine eine endgültige Entscheidung zu treffen. So fruchtbar diese Haltung für das Denken war und ist, weil Denken Offenheit für neue Möglichkeiten voraussetzt, so schwierig und gefährlich ist sie vom Leben her, das ständig Entscheidungen und damit Ausschließen von Möglichkeiten fordert." (GW XII, 13) So bewegt sich Tillichs Leben auf der Grenze zwischen den Temperamenten, auf der Grenze von Stadt und Land, auf der Grenze der sozialen Klassen, auf der Grenze von Wirklichkeit und Phantasie, von Theorie und Praxis, von Heteronomie und Autonomie, von Philosophie und Theologie, von Kirche und Gesellschaft, von Religion und Kultur, von Luthertum und Sozialismus, von Idealismus und Marxismus, von Heimat und Fremde. Unter der Überschrift „Grenze und Begrenztheit" beschließt Tillich seine Überlegungen wie folgt: „Das ist das Dialektische der Existenz, daß jede ihrer Möglichkeiten durch sich selbst zu ihrer Grenze und über die Grenze hinaus zu ihrem Begrenzenden treibt. An vielen Grenzen stehen, heißt in vielerlei Formen die Bewegtheit, Ungesichertheit und innere Begrenztheit der Existenz zu erfahren und zu dem Ruhenden, Sicheren und Erfüllten, das auch zu ihr gehört, nicht gelangen zu können. Das gilt vom Leben wie vom Denken und gibt den hier angedeuteten Erfahrungen und Ideen etwas Fragmentarisches, Tastendes, Ungesichertes. Meinen Wunsch, den Gedanken eine abgeschlossene Form zu geben, hat das Schicksal der Grenze, das mich auf den Boden eines neuen Kontinents geworfen hat, wieder einmal durchkreuzt. Die Vollendung in den Maßen meiner Möglichkeit ist Hoffnung, deren Erfüllung im Alter von fast fünfzig Jahren ungewiß ist. Aber ob erfüllt oder nicht erfüllt, es gibt eine Grenze menschlichen Tuns, die nicht mehr Grenze zwischen zwei Möglichkeiten ist, sondern Begrenzung durch das, was jenseits jeder menschlichen Möglichkeit liegt: das Gute und die Wahrheit selbst. Vor ihr ist auch unsere Mitte nur Grenze und unser Vollendetes nur Bruchstück." (GW XII, 57)

II. Das philosophisch-theologische Werk

1. Der philosophische und der theologische Ausgangspunkt

Um Tillichs Denken angemessen verstehen zu können, ist es notwendig, sowohl seinen philosophischen als auch seinen theologischen Ausgangspunkt aufzuspüren. Philosophisch geht Tillich – im Anschluß an den Deutschen Idealismus – vom Prinzip der Identität aus; theologisch ist in seinem gesamten Denken das Prinzip der Rechtfertigung gegenwärtig.

a) Das Identitätsprinzip und die Kritik des Supranaturalismus

„Beim deutschen Idealismus bin ich in die Schule gegangen", schreibt Tillich in seiner Autobiographie *Auf der Grenze*, „und ich glaube nicht, daß ich je verlernen kann, was ich dort gelernt habe. Das ist in erster Linie die Kantische Kritik, die mir gezeigt hat, daß die Frage, wie Erfahrung möglich sei, jedenfalls nicht vom Objekt her gelöst werden kann. Der Ausgangspunkt jeder Analyse der Erfahrung und jedes Entwurfes eines Systems der Wirklichkeit muß der Punkt sein, wo Subjekt und Objekt an ein und demselben Ort sind. Von da aus gewann ich Verständnis für das idealistische Prinzip der Identität." (GW XII, 49)

Noch in einem Vortrag mit dem Titel „Der philosophische Hintergrund meiner Theologie", den Tillich 1960 in Tokio gehalten hat, spricht er davon, daß für ihn die Einheit von Unendlichem und Endlichem zum grundlegenden Prinzip seiner Lehre von der religiösen Erfahrung geworden sei (vgl. GW XIII, 480). Wenn er sich in diesem Zusammenhang auf Cusanus beruft, so braucht das nicht zu wundern, wissen wir doch heute, daß man hinter Schelling nicht nur Giordano Bruno oder Spinoza zu sehen hat, sondern über diese Denker auch

Cusanus und seine Lehre von der „coincidentia oppositorum", dem Zusammenfall der Gegensätze.

Tillich ist aber nie der Gefahr dieses Denkens erlegen, die darin besteht, dem Menschen das Gefühl zu verleihen, im Zentrum des Unendlichen zu stehen; denn das wäre Hybris, Selbsterhebung auf das Göttliche hin – und Tillich wendet sich entschieden gegen Hegel, wenn er, neben aller Logik, aller Vernunft, in der Geschichte immer auch ein zweites Element am Werk sieht, nämlich das Element des Existentiellen, des Unberechenbaren, das ihn mit Denkern wie Kierkegaard, Marx und Nietzsche verbindet.

Wenn Tillich vom Identitätsprinzip spricht, knüpft er an Schelling an, der in seiner identitätsphilosophischen Periode Natur und Geist, Objekt und Subjekt, Realität und Idealität als letztlich identisch begreift. Natur ist hiernach der sichtbare Geist, Geist die unsichtbare Natur. Ohne eine solche Identität von Natur und Geist bleibt nach Schelling die Konformität von subjektiver und objektiver Wahrheit unbegreiflich. Diese Konformität sieht er in der „intellektuellen Anschauung" unserer Vernunft als gegeben an.

In seiner Habilitationsschrift kritisiert Tillich die sogenannte supranaturalistische Theologie vor Schleiermacher von diesem Prinzip der Identität aus, wobei er meint, daß in jener Epoche der Theologiegeschichte das supranaturalistische Prinzip am klarsten herausgearbeitet sei. Besonderes Augenmerk widmet er den Theologen der „Tübinger Schule": Storr, den beiden Flatt, Süßkind, Steudel, des weiteren Reinhard, Tittmann, Stäudlin sowie Plank und Tzschirner. Das Identitätsprinzip definiert er im Vorwort zu seiner Habilitationsschrift näher als „das in der kritisch-idealistischen Philosophie von Kant bis zu Schellings zweiter Periode erfaßte erkenntnistheoretische Grundprincip der lebendigen Einheit von Subjekt und Objekt, Begriff und Anschauung, Absolutem und Relativem" (Habil., III). Als Quintessenz seiner Untersuchungen kommt er zu dem Schluß, daß die Widersprüche der supranaturalistischen Begriffsbildung mit Notwendigkeit zum „Identitätsprincip als Fundament des systematisch-theologischen Denkens" führen;

wobei für ihn mit der Bejahung des Identitätsprinzips aber in keiner Weise die Annahme einer Identitätsphilosophie verbunden sein muß (Habil., III).

Schon hieran sehen wir, daß Tillich das Identitätsprinzip sehr vage und wohl eher „theo-logisch" als historisch begreift; er wird mit einer solchen Auffassung nur sehr schwer Schelling wirklich gerecht. Aber sicherlich wurde Tillich durch sein Schelling-Studium zur Auseinandersetzung mit der supranaturalistischen Theologie bewogen, können wir doch bei diesem Denker des Deutschen Idealismus lesen: „Das System, welches eine geoffenbarte Religion im eigentlichen Sinne des Wortes annimmt ..., [wird] Supranaturalismus genannt. Unsere Erklärung des Uebernatürlichen zeigt aber schon, daß es auch ein falsches Uebernatürliches, oder vielmehr eine falsche Vorstellung des Uebernatürlichen gibt, welche sich ankündigt durch ein gänzliches Losreißen desselben vom Natürlichen. Alle diese Begriffe, wie übernatürlich, überweltlich, sind ohne ihr Correlatum nicht denkbar. Es gibt keinen überweltlichen Gott, der nicht zuletzt in der Relation mit der Welt gedacht würde. Durch dieses absolute Losreißen des Uebernatürlichen vom Natürlichen entsteht eben nur das Unnatürliche. So ist die früher herrschende Philosophie, welche die Gottheit nicht weit genug von aller Natur entfernen zu können glaubte, und darum zugleich *alles* Göttliche der *Natur* leugnen zu müssen meinte, diese Philosophie hat in der That nichts hervorgebracht, als einen unnatürlichen Gott auf der einen und eine gottlose Natur auf der andern Seite. Und so gibt es denn freilich auch einen unnatürlichen Supernaturalismus, dergleichen allerdings das System der gewöhnlichen bloß formellen Orthodoxie ist."[8] Genau um eine Kritik dieses „unnatürlichen Supernaturalismus" geht es Tillich in seiner Habilitationsschrift.

Den grundsätzlichen Widerspruch des Supranaturalismus sieht er darin, daß als natürlich das verstanden wird, was aus dem Wesensgesetz eines Dinges folgt, als nicht natürlich das, was an einem Ding geschieht, ohne aus dem Wesensgesetz desselben zu folgen. „*Insofern das Übernatürliche nicht aus dem*

Wesen des Natürlichen folgt, wird es charakterisiert als das Außerordentliche, insofern es aus einem andern folgt, wird es charakterisiert als das Göttliche." (Habil., 27) Die Definitionsbasis des Übernatürlichen, des Supranaturalen, ist das Natürliche, die Natur. Daraus aber ergibt sich für Tillich die folgende Dialektik: Zum einen negiert das Übernatürliche das Natürliche, zum anderen wird das Übernatürliche gerade durch das Natürliche bestimmt, wodurch es selbst jedoch „ein anderes Natürliches" wird. Tillich faßt seine Kritik so zusammen: „Das Übernatürliche schwebt dazwischen, Vernichtung oder Duplikat des Natürlichen zu sein." (Habil., 30) Er verdeutlicht diese Dialektik vornehmlich am Gottesbegriff und den Gottesbeweisen, schließlich am Offenbarungs- und am Glaubensbegriff.

Die Dialektik des Supranaturalismus zeigt sich nach Tillich besonders deutlich am Gottesbegriff. Die Welt außer und neben Gott, wie der Supranaturalismus das Verhältnis sieht, macht Gott gemäß Tillich selbst zu einem Stück Welt. Diesem Gott stellt er hier das erste Mal den „*Gott über Gott*" gegenüber (vgl. Habil., 44). Der Supranaturalismus, der die reine Überweltlichkeit Gottes betont, führt nach Tillich gerade nicht zu dem wirklichen Gott, dem Absoluten, dem Gott über Gott, denn „das Supra führt ... nicht weit genug über die Welt hinaus" (Habil., 44).

Die natürliche Erkenntnis des Übernatürlichen ist für das supranaturalistische Denken identisch mit den Beweisen für das Dasein Gottes. Jedoch machen Tillich zufolge die Gottesbeweise im Sinne eines Schlußverfahrens Gott zu einem Bedingten. Als Beispiel führt er den folgenden Beweis an: „Alles Bedingte fordert ein Unbedingtes; die Welt ist bedingt, also muß ein Unbedingtes sein." (Habil., 106) Tillich sagt dazu: „Der Obersatz ist der Erkenntnis des Natürlichen entnommen und subsumiert darum faktisch immer das Uebernatürliche unter das Natürliche oder hebt das Natürliche und damit den ganzen Gegensatz auf." (Habil., 106). Eine intellektuelle Anschauung im Sinne Schellings, die diesen Fehler vermeiden könnte, kann der Supranaturalismus aber nicht akzeptieren, da supranaturalistisches Denken auf dem Begriffsgegensatz von

Subjekt und Objekt im Sinne eines exklusiven Gegensatzes beruht (vgl. Habil., 76).

Neben der Vernunfterkenntnis des Übernatürlichen, die natürlich ist, kennt der Supranaturalismus die Offenbarungserkenntnis des Übernatürlichen, die übernatürlich ist. Jedoch ist nach Tillich der Offenbarungsbegriff des Supranaturalismus einseitig intellektualistisch: Inspiration ist hiernach ein „von Gott unmittelbar erteilter Unterricht". „Der Gedanke einer Personalinspiration liegt dem Supranaturalismus fern. So wurden denn auch die mechanistischen Konsequenzen unbedenklich gezogen, die aus einer solchen Auffassung folgen" (Habil., 69f.): die Überzeugung nämlich, daß sich Eingebung auch auf Worte erstreckt habe. In seiner *Dogmatik* von 1925 wird Tillich hierfür das Wort von der „supranaturalistischen Schreibmaschinentheorie" prägen (Dogmatik, 77). Nach supranaturalistischer Lehre ist der Vorgang der Inspiration einmalig und abgeschlossen, über ihn kann ein maßgeblicher Bericht mit allen Merkmalen eines solchen abgefaßt werden. Betont wird so „die Objektivität der Inspiration, ihr anti-individualistischer, intellektualistischer, unpersönlicher Charakter" (Habil., 71). Alle Inspiration ist nach dieser Auffassung in der Bibel enthalten. Sie ist die Urkunde der Offenbarung. Was aber auf dem Gegensatz von Subjekt und Objekt beruht – das ist hier Tillichs grundsätzliche Kritik –, kann letztlich nicht zur Gewißheit führen.

Auch der Glaubensbegriff des Supranaturalismus bringt nach Tillich keine Gewißheit. Der Glaube wird hier bestimmt als „ein notwendiges Fürwahrhalten unserer Vorstellungen von Dingen, die nicht wirklich erkannt werden können" (Habil., 98), als ein „Fürwahrhalten aus subjektiv hinlänglichen Gründen" (Habil., 101). Der Glaube ist insofern ein „geringerer Grad des Wissens" (Habil., 99).

Tillich wird mit seiner Darstellung und der darauf aufbauenden Kritik dem Anliegen des Supranaturalismus sicherlich nicht gerecht. Aber es gibt auch produktive Mißverständnisse! Ist Aristoteles mit seiner Kritik etwa Platon gerecht geworden, oder Heidegger mit seinem Verdikt der Seinsvergessenheit der abendländischen Metaphysik? Darauf kommt es letztlich nicht an. Wichtiger scheint zu sein, daß diese Denker durch die Überzeichnung eines gegnerischen Standpunktes zu einer neuen eigenen Position fortschreiten, die sich als ausgesprochen fruchtbar erwiesen hat. Dies trifft auch für Tillich zu; wobei man ihm seine Kritik nicht einfach abnehmen sollte, was leider allzuoft – auch in der Forschung – geschieht.

Tillich geht es um das grundsätzliche Problem der Gewißheit, um das Problem der Wahrheit. Diese Wahrheit im Sinne der Gewißheit aber kann ihm der Supranaturalismus mit seinem Gottesgedanken, seinen Gottesbeweisen, seinem Offenbarungs- und Glaubensbegriff nicht bieten. Von dessen erkenntnistheoretischem Ausgangspunkt her, der durch den Gegensatz von Subjekt und Objekt bestimmt ist, kann er nicht zur Gewißheit gelangen. Wahrheit im Sinne der Gewißheit kann Tillich zufolge nur das Identitätsprinzip ermöglichen: die Identität von Denken und Sein, von Subjekt und Objekt. Von diesem erkenntnistheoretischen Standpunkt aus kritisiert er den Gottesgedanken, die Gottesbeweise, den Offenbarungs- und Glaubensbegriff des Supranaturalismus und entwickelt später, von dieser Kritik ausgehend, seine Auffassung von Gott, Gotteserkenntnis, Offenbarung und Glauben. In diesem Sinne stellt Tillich dem supranaturalistischen Gottesgedanken schon hier den „Gott über Gott" gegenüber, der nicht ein Seiendes neben Seiendem ist (vgl. GW XI, 137ff.). Den supranaturalistischen Gottesbeweisen wird er später eine unmittelbare Erfassung des Göttlichen entgegensetzen, in die das Gnadenelement eingeschlossen ist (vgl. GW V, 131ff.), und den Gottesbeweisen wird er nur noch das Recht der Frage nach Gott zugestehen (vgl. ST I, 238ff.). Dem supranaturalistischen Offenbarungsbegriff, der gekennzeichnet ist durch die Unterscheidung in natürliche und übernatürliche Offenbarung und vornehmlich intellektualistisch geprägt ist, wird er schließlich einen aktualistischen Offenbarungsbegriff gegenüberstellen, der den Gegensatz zwischen natürlicher und übernatürlicher Offenbarung überwinden soll. Hiernach ist jede Offenbarung übernatürlich, sofern sie Erscheinung des Unbedingt-Transzendenten ist, und jede Offenbarung ist gleichzeitig natürlich, da sie im natürlichen Zusammenhang des Seienden geschieht, den sie zwar erschüttert und umwendet, jedoch nicht zerbricht (vgl. GW VIII, 31 ff.). Den supranaturalistischen Glaubensbegriff, der wesentlich charakterisiert ist als ein Fürwahrhalten, wird Tillich schließlich durch einen personalistischen Glaubensbegriff ersetzen: Glaube als Akt der ganzen Person, in dem das intellektuelle, voluntative und emotionale Element vereint sind (vgl. GW VIII, 114 ff.).

Der supranaturalistischen Theologie stellt Tillich somit eine am Identitätsprinzip orientierte Theologie gegenüber, die nicht durch den Gegensatz von Subjekt und Objekt geprägt ist, sondern durch einen Punkt der Identität zwischen Gott und Mensch. So hatte er ja schon im Vorwort zu seiner Habilitationsschrift gefordert, das Identitätsprinzip den Widersprüchen der supranaturalistischen Begriffsbildung als Fundament des systematisch-theologischen Denkens vorzuziehen.

Tillich wird diesen Standpunkt der Habilitationsschrift zeitlebens nicht mehr aufgeben. Was er in einer bestimmten theologischen Position zu sehen glaubt, wird er an die ganze Tradition herantragen: den Vorwurf des Supranaturalismus. Er wird diese „fixe Idee", der Supranaturalismus sei der eigentliche Gegner, nicht mehr aufgeben, und er wittert ihn immer und überall, bei Thomas von Aquin ebenso wie bei seinem theologischen Antipoden Karl Barth (vgl. GW VII, 262). Dabei nähert sich Tillichs Kritik zuweilen sehr stark jener „billigen und plumpen Art" an, „alle Theologen einzuteilen in Naturalisten und Supranaturalisten", die er selbst an anderen kritisiert (GW VII, 13). Es macht eben doch einen grundsätzlichen Unterschied aus, ob man eine solche Etikettierung für andere verwendet oder ob man selbst von ihr betroffen ist. Aber wir sehen auch, daß selbst – oder gerade – große Denker nicht frei sind von einem gewissen Schablonen-Denken, hilft es doch enorm, die Komplexität der Wirklichkeit durch Schematisierung zu bewältigen.

In der *Dogmatik* von 1925 wie auch in der *Systematischen Theologie* greift Tillich seine Supranaturalismuskritik erneut auf; in der *Dogmatik* begegnen wir dieser Kritik besonders im Zusammenhang des Offenbarungsbegriffs (vgl. Dogmatik, § 5; 41–48), in der *Systematischen Theologie* vornehmlich in der Einleitung zum zweiten Band unter dem Titel „Jenseits von Naturalismus und Supranaturalismus" (ST II, 11–16). „Der Sache nach ... werden damit nur bereits in der Habilitationsschrift gegebene Einsichten entwickelt", schreibt Gunther Wenz dazu. „Ein gewisser formaler Unterschied besteht allerdings darin, daß der Tillich der ‚Systematischen Theologie' nicht einmal mehr ansatzweise den Versuch unternimmt, seine Supranaturalismuskritik theologiegeschichtlich auszuweisen." In diesem Sinne ist Wenz voll zuzustimmen, wenn er meint, daß der Supranaturalismusbegriff bei Tillich keine „im eigentlichen Sinne theologiegeschichtliche Kategorie" darstellt, sondern das „Verdikt einer gewissermaßen zeitlos falschen Denkungsart".[9]

Damit wird ein Grundzug von Tillichs gesamtem Denken deutlich: Er ist kaum an historischen Themen interessiert. Das bedeutet aber positiv, daß für ihn die Geschichte der Philosophie und Theologie immer mehr ist „als die Geschichte von interessanten Ideen, die Menschen aufstellen, um einander zu widersprechen". Er versteht sie vielmehr als „die Geschichte des menschlichen Selbstverständnisses, und ein jedes derartiges Selbstverständnis ist nicht nur den Kriterien der Logik unterworfen, sondern muß auch nach dem Sinn, den es der Existenz zuerkennt, beurteilt werden" (EW II, 96f.). Und genau das versucht Tillich; darin sieht er die Verantwortung des Denkens. Das heißt, wenn wir auch historisch berechtigt sind, Tillich den Vorwurf zu machen, er kämpfe mit seiner Supranaturalismuskritik letztlich gegen eine nicht wirkmächtige Denkungsart – und ähnlich verhält es sich ja auch mit seiner Kritik des Theismus –, so dürfen wir darüber doch nicht übersehen, daß seine eigene Lösung, die er in der Auseinandersetzung mit dieser Position herausarbeitet, dem heutigen Menschen einen neuen Zugang zur religiösen Dimension eröffnet. Sein philosophischer Lehrer aus Halle, Fritz Medicus, sieht diese Bedeutung Tillichs schon sehr früh, wenn er in einem Beitrag in der

Neuen Zürcher Zeitung anläßlich der Berufung Tillichs nach Frankfurt im Jahre 1929 schreibt: „Wenn auch Tillich an Schelling anknüpft, so nehmen doch seine Problemstellungen ihren Ausgang beim Leben von heute. Auch seine Sprache ist die heutige; er wirft nicht mit Schellingzitaten um sich. Seine Darlegungen sind unmittelbarer Ausdruck eines im Gedanken gefaßten Gegenwartslebens. Der Schellingianismus Tillichs hat nichts von antiquarischem Interesse an sich; er ist nichts anderes als geschichtlicher Grund, wie ihn alle geistige Gegenwart im Bewußtsein haben muß; er ist völlig in diese Gegenwart eingegangen und nimmt an der Dialektik, dem Ja und Nein ihres Lebens, teil." (GW XIII, 564)

Eine erste *theologische* Anwendung des Identitätsprinzips findet sich sogar schon vor Ausarbeitung der Habilitationsschrift, nämlich in Tillichs 128 Thesen über „Die christliche Gewißheit und der historische Jesus" von 1911, wo er seine Position in bezug auf den historischen Jesus in einer Weise klärt, die für sein ganzes späteres christologisches Denken maßgebend bleiben sollte. Für Tillich kann die Forschung von Gelehrten, die den Versuch machen, historische Fakten über Jesus herauszufinden, für den christlichen Glauben nicht entscheidend sein, denn das führt immer nur zu Wahrscheinlichkeiten bzw. Unwahrscheinlichkeiten, nicht aber zur Gewißheit. Ja, Gewißheit kann es nach Tillich über den historischen Jesus grundsätzlich überhaupt nicht geben. Diese Einsicht wirkt für ihn geradezu befreiend. In These 128 formuliert er: „Der Satz von der notwendigen Ungewißheit des historischen Jesus befreit die Dogmatik von der Ungewißheit heteronomer, physischer Kategorien und gründet sich auf die Selbstgewißheit des autonomen, weil geschichtlichen, Geistes." (EW VI, 46) Der Glaube ist also nach Tillich nicht abhängig von dem, was historisch-kritische Forschung über die neutestamentlichen Dinge entdeckt und immer wieder neu entdecken wird. Er stützt sich vielmehr auf die Gegenwart der göttlichen Wirklichkeit in uns. In ihr liegt die einzige Möglichkeit der Gewißheit. Insofern weist sein Denken eine grundsätzlich pneumatologische Dimension auf, weshalb Sturm Wittschier

Tillichs Theologie als eine „Pneuma-Theologie" charakterisiert.

Hinter dieser Lösung des jungen Tillich steht letztlich die Identität als Prinzip der Gewißheit; die Thesen 81 bis 91 befassen sich denn auch explizit mit dieser erkenntnistheoretischen Grundfrage (vgl. EW VI, 41f.). In These 113 vertritt Tillich dementsprechend bereits die Auffassung, daß die Offenbarung Gottes für den Glaubenden nur insofern Bedeutung habe, „als sie den Gläubigen mit Gott direkt in Gemeinschaft bringe" (EW VI, 44). Und in These 118 heißt es programmatisch: „Da nämlich der Supranaturalismus von einem prinzipiellen Dualismus zwischen göttlichem und menschlichem Geistesleben ausgeht, steht er in einem notwendigen und unversöhnlichen Gegensatz zum Wahrheitsgedanken und zur Identität." (EW VI, 45) Gunther Wenz spricht in bezug auf Tillichs Christologie darum zu Recht von einer „Theologie ohne Jesus".[10] Damit aber ist der Glaube „Grund seines Grundes". – Wird jedoch mit einer solchen Antwort dem Problem, das mit der historischen Fundierung des christlichen Glaubens gegeben ist, nicht die Spitze abgebrochen?

b) Das Rechtfertigungsprinzip und die Überwindung des Theismus

Die Einsicht in den „alles beherrschenden Charakter des Paulinisch-Lutherischen Rechtfertigungsgedankens" verdankt Tillich, wie er selbst in seiner Autobiographie *Auf der Grenze* bekennt, seinem Lehrer Martin Kähler (GW XII, 32). Dieser stellt in seinem systematischen Hauptwerk *Die Wissenschaft der christlichen Lehre* (Leipzig 3. Aufl. 1905) die Rechtfertigungslehre in den Mittelpunkt, von dem aus er das Ganze der christlichen Lehre entwirft.

Tillich übernimmt die Lehre von der Rechtfertigung aber nicht einfach in ihrer überkommenen ethischen Form, sondern fragt danach, welche Bedeutung ihr für die gegenwärtige Lage zukommt. Denn „religiös erheblich kann nur eine Verkündigung der Rechtfertigung sein, die das reformatorische Durchbruchsprinzip auch als Durchbruchsprinzip unserer Geisteslage kundtut. Diese aber ist bestimmt durch den Verlust der Voraussetzungen, die Mittelalter und Reformation gemeinsam hatten: der Gottesgewißheit und damit der Gewißheit der Wahrheit und des Sinnes." (GW VIII, 85f.) Der Heilsgewißheit in der praktischen Sphäre entspricht also der Zweifel in der theoretischen. Tillich bezieht somit das Prinzip der Rechtfertigung durch den Glauben nicht nur auf das religiös-moralische, sondern auch auf das religiös-intellektuelle Leben. „Nicht nur der, der in der Sünde ist, sondern auch der, der im Zweifel ist, wird durch den Glauben gerechtfertigt. Die Situation des Zweifelns, selbst des Zweifelns an Gott, braucht uns nicht von Gott zu trennen. In jedem tiefen Zweifel liegt ein Glaube, nämlich der Glaube an die Wahrheit als solche, sogar dann, wenn die einzige Wahrheit, die wir ausdrücken können, unser Mangel an Wahrheit ist. Aber wird dies in seiner Tiefe als etwas, das uns unbedingt angeht, erlebt, dann ist das Göttliche gegenwärtig; und der, der in solch einer Haltung zweifelt, wird in seinem Denken ‚gerechtfertigt'." (GW VII, 14) So wurde Tillich von dem Paradox ergriffen, daß derjenige, der Gott ernstlich leugnet, ihn letztlich bejaht. Und er bekennt, daß er ohne diese Einsicht nicht Theologe hätte bleiben können (vgl. GW VII, 14). Für ihn ereignet sich die Rechtfertigung des Zweiflers „als Durchbruch der unbedingten Gewißheit durch die Sphäre der Ungewißheiten und Irrungen; es ist der Durchbruch der Gewißheit, daß die Wahrheit, die der Zweifler sucht, der Lebenssinn, um den der Verzweifelte ringt, nicht das Ziel, sondern die Voraussetzung alles Zweifels bis zur Verzweiflung ist." (GW VIII, 91)

Was die Gegenwart Gottes vor der Gotteserkenntnis und den Sinn vor der Sinnerkenntnis offenbart, das ist nach Tillich der Durchbruch der göttlichen Grundoffenbarung. „Was hier offenbar wird, ist der Gott der Gottlosen, die Wahrheit der Wahrheitslosen, die Sinnfülle der Sinnentleerten." (GW VIII, 92) Tillich bezeichnet diesen Punkt als „die Geburtsstunde der Religion in jedem Menschen" (GW VIII, 92). Am Anfang steht für ihn somit ein unmittelbares Gottesbewußtsein, nicht die

Offenbarung in Jesus Christus; letztere kann Tillich zufolge erst aufgenommen werden aufgrund des ersteren. Damit wird ein Satz wie der, daß wir ohne Jesus Atheisten wären, in sich widerspruchsvoll. „Wären wir ohne Jesus Atheisten, so würde uns auch Jesus nicht vom Atheismus befreien können, denn es würde das Organ fehlen, ihn zu empfangen." (GW VII, 93) Das heißt, daß uns Jesus Christus nicht aus dem radikalen Zweifel befreien kann. „Die Grundoffenbarung ist die Befreiung aus der Verzweiflung des Zweifels und der Sinnleere. Insofern ist sie der Anfang der Heilsoffenbarung. Und die Heilsoffenbarung ist Befreiung aus der Verzweiflung des Widerspruchs und der Gottferne. Es ist der eine Lebensprozeß, in dem beide stehen, die eine als Anfang und die andere als Ziel, in jeder wirklichen Offenbarung aber zusammengeschlossen in einem Akt; denn jede wirkliche Offenbarung hat eine Form und einen Namen." (GW VIII, 97 f.) Mit einer solchen Konzeption wendet sich Tillich gegen eine ausschließlich christozentrische Fassung der Offenbarung in inhaltlicher Sicht, wie sie z.B. bei Karl Barth vorliegt.

Wenn Tillich von einem unmittelbaren Gottesbewußtsein spricht, so handelt es sich dabei nicht um natürliche Theologie, denn die Gnade spielt hier eine entscheidende Rolle. Aber es klingen doch Momente an, die das Verstehen der Grundoffenbarung in die Nähe philosophischer Überlegungen rücken. Wenn für Tillich Gott die Voraussetzung der Frage nach Gott ist (vgl. GW V, 124), so erinnert dieser Gedanke an Cusanus, der Ähnliches formuliert hat: *Omnis quaestio de Deo praesupponit quaesitum* (Jede Frage über Gott setzt das Gefragte voraus). Während bei Tillichs Konzeption das Gnadenelement aber nicht außer acht gelassen werden darf, hat die Formulierung des Cusanus ihren „Sitz im Leben" im Rahmen einer natürlichen Theologie.

Tillich greift diese frühen Überlegungen von 1924 in der bekannten Schrift *Der Mut zum Sein* von 1952 erneut auf und entwickelt sie hier sogar weiter, indem er den Begriff des ‚absoluten Glaubens' einführt. Die Grundoffenbarung steht nun nicht mehr im Mittelpunkt, ja der Begriff taucht überhaupt nicht auf, sondern der ihr korrelierende Glaube, den Tillich ‚absoluten Glauben' nennt. Absolut ist dieser Glaube, weil er sich auf den ‚Gott über Gott' bezieht, der gänzlich ungegenständlich und noch über dem theistischen Gott angesiedelt ist.

Schon in der *Dogmatik* von 1925 handelt Tillich ausführlich über den Begriff des Mutes, den er im Unterschied zu Schwermut und Leichtmut bestimmt als eine „den Dingen innewohnende Qualität", also als eine „metaphysische Qualität" – und nicht als eine subjektive Stimmung oder Haltung (vgl. Dogmatik, 132). Diese Gedanken werden in *Der Mut zum Sein* nun explizit entwickelt. „Mut", so heißt es hier, „ist die Selbstbejahung des Seienden trotz des Nichtseins. Er ist der Akt des individuellen Selbst, in dem es die Angst vor dem Nichtsein auf sich nimmt." (GW XI, 117)

Nach Tillich sind es drei Ängste, die den Mut grundsätzlich bedrohen: die Angst vor Schicksal und Tod, die Angst vor Schuld und Verdammung sowie die Angst vor Leere und Sinnlosigkeit; wobei die letzte Form der Angst die für unser Zeitalter charakteristische ist. Victor E. Frankl spricht in diesem Zusammenhang analog von einer „soziogenen" Neurose, also einer Form der Neurose, die eine ganze Gesellschaft befallen kann.

Ging es Luther vornehmlich um den Mut, sich zu bejahen als bejaht, trotz des Wissens um die eigene Schuld, wobei dieser Mut des Vertrauens in der persönlichen und unmittelbaren Gewißheit von der göttlichen Vergebung wurzelt, so steigert nach Tillich die Angst vor Leere und Sinnlosigkeit sowohl die Angst vor Schicksal und Tod als auch die Angst vor Schuld und Verdammung, denn in diesen Formen ist immer noch ein Sinn bejaht. Die entscheidende Frage ist darum: „Gibt es einen Mut, der die Angst vor der Sinnlosigkeit und den Zweifel besiegen kann? Oder mit anderen Worten: Kann der Glaube, der bejaht, daß man bejaht ist, der Macht des Nichtseins in seiner radikalsten Form Widerstand leisten? Gibt es einen Glauben, der angesichts von Zweifel und Sinnlosigkeit bestehen kann?" (GW XI, 129) Der Sprung in den Glauben ist für Tillich keine

Lösung des Problems, denn „wer von Zweifel und Sinnlosigkeit überwältigt ist, kann sich nicht von ihnen befreien; er verlangt nach einer Antwort, die innerhalb dieser Situation gültig ist und nicht außerhalb liegt" (GW XI, 130). So kann nur die Einsicht helfen, daß der Zweifel selbst immer noch ein Akt des Lebens, also immer noch etwas Positives ist – trotz seines negativen Inhalts. „In religiöser Sprache würde man sagen, daß man sich bejaht als bejaht trotz des Zweifels an dem Sinn einer solchen Bejahung ... Das Negative lebt von dem Positiven, das es negiert." (GW XI, 130)

Der Glaube, der den Mut erzeugt, Zweifel und Sinnlosigkeit in sich hineinzunehmen, hat nun nach Tillich keinen besonderen Inhalt. „Er ist einfach Glaube – ohne auf etwas Bestimmtes gerichtet zu sein, absoluter Glaube. Er ist undefinierbar, da alles Definierte durch Zweifel und Sinnlosigkeit aufgelöst ist." (GW XI, 130) Er transzendiert gemäß Tillich die göttlich-menschliche Begegnung. – Warum? Weil in dieser Begegnung immer noch das Subjekt-Objekt-Schema herrscht: „Ein bestimmtes Subjekt (der Mensch) begegnet einem bestimmten Objekt (Gott). Man kann diese Behauptung umkehren und sagen, daß ein bestimmtes Subjekt (Gott) einem bestimmten Objekt (dem Menschen) begegnet. Aber der Zweifel untergräbt in beiden Fällen die Subjekt-Objekt-Struktur." (GW XI, 131f.) Demgegenüber ist der absolute Glaube „ohne *spezifischen* Inhalt, aber er ist nicht ohne Inhalt. Der Inhalt des absoluten Glaubens ist der ‚Gott über Gott'." (GW XI, 134) Und von diesem absoluten Glauben behauptet Tillich, daß er die theistische Gottesidee transzendiert. Was ist damit gemeint?

Um diese Frage beantworten zu können, ist zuerst einmal zu klären, was Tillich unter dem Begriff des Theismus versteht. Gemeinhin faßt man hierunter – im Gegensatz zu atheistischen, pantheistischen oder deistischen Bestimmungen – die Annahme eines personalen Gottes, der der Welt gegenüber immanent und transzendent ist. In diesem Sinne hat sich die christliche Gottesvorstellung immer theistisch verstanden. Dieser Gott des theologischen Theismus ist nun Tillich zufolge

„ein Wesen neben anderen und als solches ein Teil der gesamten Wirklichkeit". Er ist ein Sein, nicht das Sein-Selbst; und als ein solches ist er der Subjekt-Objekt-Struktur der Wirklichkeit unterworfen: „Er ist ein Objekt für uns als Subjekte, zugleich sind wir Objekte für ihn als Subjekt." Dergestalt jedoch ist er für Tillich die tiefste Wurzel des Atheimus. „Es ist ein Atheismus, der gerechtfertigt ist als Reaktion gegen den theologischen Theismus und dessen erdrückende Konsequenzen." (GW XI, 136)

Ein Gott aber, der in das Subjekt-Objekt-Schema gezwängt wird, ist letztlich nicht wirklich Gott. Folglich muß der Theismus transzendiert werden. Er ist falsch; er ist nach Tillich „schlechte Theologie" (GW XI, 136). Zu dieser Kritik Tillichs ist anzumerken, daß ein Denken, das Gott zu einem Seienden macht, das ihn einreiht in die Subjekt-Objekt-Struktur, natürlich „schlechte Theologie" ist. Aber es stellt sich – wie schon im Zusammenhang mit dem Supranaturalismus – unweigerlich die Frage, ob es diese „schlechte Theologie" überhaupt gibt. Es mag sie vielleicht in der Gemeindepredigt und auch in den Köpfen von so manchen Gläubigen geben. Man wird sie aber schwerlich bei den großen Denkern der Tradition finden. Theismus ist hier – wie schon der Begriff des Supranaturalismus – mehr das Verdikt einer zeitlos falschen Denkungsart über Gott, weniger eine historische Kategorie.

Nun gilt freilich (auch für Tillich): Immer wenn wir denken, bewegen wir uns im Subjekt-Objekt-Schema. Folglich können wir Gott gar nicht adäquat denken. Konsequent sagt darum Tillich: „Absoluter Glaube oder der Zustand des Ergriffenseins von dem Gott über Gott ist kein Zustand, der uns neben anderen Seelenzuständen zuteil wird. Er ist nichts Abgegrenztes oder Bestimmtes, kein Geschehnis, das isoliert und beschrieben werden könnte. Er ist immer ein Zustand in und zusammen mit anderen Seelenzuständen. Er ist die Situation auf der Grenze menschlicher Möglichkeiten – er *ist* diese Grenze ... Er ist kein Ort, wo man leben kann; er ist ohne Sicherheit, die Worte und Begriffe vermitteln, er ist ohne Namen, ohne Kirche, ohne Kult, ohne Theologie. Aber er ist in der Tiefe von ihnen allen wirksam." (GW XI, 139) Und die Schrift schließt mit den Worten: *„Der Mut zum Sein gründet in dem Gott, der erscheint, wenn Gott in der Angst des Zweifels untergegangen ist."* (GW XI, 139)

Tillich will damit deutlich machen, daß der Zweifel nicht von außen, sondern nur von innen her zu besiegen ist. Das erinnert an Augustins Versuch, die Skepsis durch Rückgang auf jenes Selbst zu überwinden, das mir absolut gewiß ist. Und in dieser Selbstgewißheit ist Tillich zufolge die Gewißheit Gottes immer schon eingeschlossen. Aber der Gott, der hier erscheint, hat keinen spezifischen Inhalt mehr, denn alle Inhalte unterliegen dem Subjekt-Objekt-Schema und somit letztlich dem Zweifel. Darum nennt Tillich diesen Gott auch den Gott *„über"* Gott. Und diesen Gott über Gott erfahre ich im absoluten Glauben. Absoluter Glaube, das Wort sagt es schon, ist „los-gelöst" von jedem spezifischen Inhalt. Menschliches Denken ist aber immer an Inhalte gebunden.

So wie Grundoffenbarung und Heilsoffenbarung in einem Akt zusammengeschlossen sind, ist es auch beim Glauben: „Der Glaube umschließt beides: unmittelbares Wissen, aus dem die Gewißheit entspringt, und Ungewißheit." (GW VIII, 122) Das unmittelbare Wissen bezieht sich auf den Gott über Gott. Daneben gibt es aber stets auch ein konkretes Element im Glauben, einen konkreten Inhalt. Dieser kann immer bezweifelt werden, sei es die Nation, der Erfolg im Leben oder gar der Gott der Bibel. Hier gelangen wir zu keiner unmittelbaren Gewißheit (vgl. GW VIII, 123). Glaube ist darum für Tillich immer auch Wagnis. Verstünde man demgegenüber den Glauben als ein Fürwahrhalten, so wären Glaube und Zweifel unvereinbar. Doch der Glaube ist Tillich zufolge ein Akt der ganzen Person, er schließt darum den Zweifel notwendig mit ein; wobei unter diesem Zweifel weder der methodische oder wissenschaftliche noch der skeptische zu verstehen ist. Es handelt sich hier vielmehr um den „existentiellen Zweifel", der jedes Wagnis begleitet (GW VIII, 124f.). Da es sich bei diesen Überlegungen nicht um die Beschreibung eines bestimmten Zustandes, sondern um eine Strukturanalyse handelt, kann der

Zweifel de facto sehr wohl fehlen. Und doch ist er ein konstitutionelles Moment des Glaubens. Als ein wesentliches Element des Glaubens tritt er eben nur unter bestimmten individuellen und sozialen Bedingungen hervor. Wenn sich Zweifel geltend macht, sollte man das nach Tillich darum nicht gleich als eine Ablehnung des Glaubens auffassen. Der Zweifel ist „ein Element, ohne das kein Glaubensakt denkbar ist. Existentieller Zweifel und Glaube sind die Pole, die den inneren Zustand des vom Unbedingten ergriffenen Menschen bestimmen." (GW VIII, 126) So sieht Tillich im *ernsten* Zweifel sogar eine Bestätigung des Glaubens.

Den Zweifel zu unterdrücken wäre keine Lösung des Problems, weil dies letztlich zum Fanatismus führte. Der Fanatiker bekämpft ja im Außen dasjenige, was ihn in seinem Inneren beunruhigt, und hält so die eigenen Zweifel nieder. Der Zweifel kann jedoch nicht durch Unterdrückung, sondern nur durch Mut überwunden werden. „Der Mut verleugnet nicht, daß der Zweifel da ist; aber er bejaht den Zweifel als Ausdruck der menschlichen Endlichkeit und bekennt sich trotz des Zweifels zu dem, was unbedingt angeht. Der Mut bedarf nicht der Sicherheit einer fraglosen Überzeugung. Er schließt das Wagnis ein, ohne das kein schöpferisches Leben möglich ist." (GW VIII, 179)

Für den Christen ist Jesus, der Christus, das, was ihn unbedingt angeht. Aber auch dieser Glaube ist nach Tillich nicht Sache zweifelsfreier Gewißheit, sondern immer eine Sache des wagenden Mutes. Glaube ist somit keine Haltung ohne Spannungen, Glaube ist nicht ohne Zweifel und Mut denkbar. Tillich spricht darum auch gerne vom dynamischen Charakter des Glaubens. Seiner Hauptschrift über den Glauben gab er im Englischen auch den Titel *Dynamics of faith.*

Im Zusammenhang mit Tillichs Kritik am Supranaturalismus ist uns erstmals der Begriff ‚Gott über Gott' begegnet, ein Begriff, der auf den Neuplatoniker Pseudo-Dionysius Areopagita aus dem 5. Jahrhundert zurückgeht; dieser spricht vom ‚Übergott'. Schelling kannte jene Stellen; über ihn mag Tillich auf diesen Begriff gestoßen sein. Hiernach ist der Gott über Gott der wirkliche Gott, der alle unsere Vorstellungen von Gott transzendiert. Die Verbindung zwischen dem metaphysischen und dem erkenntniskritischen Aspekt hat bekanntlich zur Ausbildung einer *theologia negativa* geführt, nach der wir nicht sagen können, *was* Gott ist, sondern immer nur, *was* er *nicht* ist. Diese negative Theologie ist bei Plotin, in Ansätzen bereits bei Platon vorgebildet.

Tillich verbindet nun diese beiden philosophischen Aspekte des Begriffs Gott über Gott mit seinem theologischen Anliegen: Der Gott über Gott ist in diesem Sinne immer auch der Gott des Zweiflers an Gott. Hinter diesen Überlegungen steht die Überzeugung, daß das Positive dem Negativen immer vorausgeht. Die Gegenwärtigkeit Gottes steht also vor der Gotteserkenntnis. „*Impossibile est, sine deo discere deum.* Gott wird nur erkannt aus Gott", heißt es so schon in dem Aufsatz „Die Überwindung des Religionsbegriffs in der Religionsphilosophie" von 1922 (GW I, 388).

Damit weist dieser zweite, theologische Ausgangspunkt Tillichs eine große Nähe zu dem ersten, philosophischen Ausgangspunkt auf, geht es doch bei beiden Momenten um das Problem der Gewißheit, um das Problem der Wahrheit. Insofern versteht Tillich auch das Prinzip der Identität als „die logisch gesetzliche und darum ungläubige Formulierung der Paradoxie, die im gläubigen Erfassen der Grundoffenbarung vorliegt" (GW VIII, 95).

Tillichs neues Verständnis des Rechtfertigungsprinzips begründet letztlich auch sein Programm einer Theologie der Kultur. Denn es hat zur Voraussetzung, daß es „neben" dem Göttlichen keinen Raum und zwischen dem Religiösen und dem Nichtreligiösen keine Mauer gibt. „Das Heilige umfaßt sich selbst und das Profane. Religiös sein heißt unbedingt Ergriffensein, mag sich nun dies Ergriffensein in profanen Formen ausdrücken oder in Formen, die im engeren Sinne religiös sind." (GW VII, 15) Daraus folgt, daß wirklicher Atheismus eigentlich keine menschliche Möglichkeit ist, denn Gott ist dem Menschen immer schon näher, als dieser sich selbst ist. „Es gibt keinen Ort, wohin wir vor Gott fliehen können – keinen Ort, der außerhalb Gottes ist." (RR I, 40) Unglaube ist darum immer nur intentional, nicht substantiell möglich. Auch der Atheist kann sich in seinem Atheismus „gerechtfertigt" glauben „von einer Ordnung oder Realität oder Tiefe, die noch über dem steht, was er als ‚Sein Gottes' verneint" (EW VI, 97). In diesem Sinne spricht schon der junge Tillich in einem Brief an Emanuel Hirsch aus dem Jahre 1917 davon, daß ihn seine Fassung des Rechtfertigungsprinzips „bis zu der Paradoxie des ‚Glaubens ohne Gott'" getrieben habe (EW VI, 97; vgl. EW V, 121).

2. Das Programm einer Theologie der Kultur

Tillichs radikale und universale Deutung der Rechtfertigung durch den Glauben hat wesentliche theologische Konsequenzen. Denn ist sie gültig, dann ist mit dem allgegenwärtigen Gott auch die Religion allgegenwärtig. Zwar kann ihre Gegenwart ebenso wie die Gottes vernachlässigt, vergessen oder geleugnet werden, aber sie ist immer wirksam und verleiht dem Leben unerschöpfliche Tiefe und jedem kulturellen Schaffen unausschöpflichen Sinn. Diesen Gedanken bringt Tillich programmatisch in seinem frühen Vortrag „Über die Idee einer Theologie der Kultur" von 1919 (vgl. GW IX, 13–31) zum Ausdruck. Was das in bezug auf das Religions- und Theologieverständnis bedeutet und welche Konsequenzen für die Sprache der Religion daraus folgen, gilt es nun zu betrachten.

a) Das Religions- und Theologieverständnis

Unsere konkrete Situation ist bestimmt durch den Gegensatz zwischen einer religiösen Kultur, Religion genannt, und einer weltlichen Kultur. Wir finden „einen Tempel neben einem Rathaus, das Abendmahl des Herrn neben einem täglichen Abendessen, das Gebet neben der Arbeit, Meditation neben Forschung, *caritas* neben *eros*" (GW IX, 86). Aber Gott – als Grund allen Seins – ist doch allem gegenwärtig. Folglich müßte er auch in allem Bedingten erfahrbar und erlebbar sein. „Das Universum ist Gottes Heiligtum. Jeder Tag ist ein Tag des Herrn, jedes Mahl ist ein Herrenmahl, jedes Werk ist die Erfüllung einer göttlichen Forderung, jede Freude ist eine Freude in Gott." (GW IX, 101) Das bedeutet, daß das Religiöse und das Profane ihrem Wesen nach keine getrennten Bereiche sind, sondern vielmehr ineinander liegen. „So sollte es sein, aber so ist es nicht in der Wirklichkeit." (GW IX, 101)

Die Lage des Menschen in dieser Welt ist geradezu bestimmt durch das Neben- und Gegeneinander von Religion und Kultur. Dieses Neben- und Gegeneinander ist Tillich zufolge der beste Ausdruck für die Entfremdung des Menschen von seinem wahren Wesen, für das Stehen in der „Zweideutigkeit", wie er auch gerne sagt. So ist die Existenz der Religion *als eines besonderen Bereichs* „der deutlichste Beweis für den gefallenen Zustand des Menschen" (GW IX, 101). Wäre der Mensch nicht entfremdet von seinem wahren Wesen und würde er nicht in der Zweideutigkeit stehen, so müßte es ihm in jedem Augenblick möglich sein, das Göttliche in Natur und Geschichte zu erfassen.

Das Essentialbild der Religion sieht somit folgendermaßen aus: Kultur und Religion liegen wesensmäßig ineinander. Ihrem Wesensbegriff nach konstituiert Religion nicht ein besonderes Gebiet neben anderen. „Jeder Akt des Lebens sollte über sich hinausweisen, und kein besonderer religiöser Akt sollte notwendig sein." (ST III, 118f.) Ein solcher Zustand aber, in dem das Wesen der Religion realisiert wäre, ist das Reich Gottes. Tillich sagt hierzu auch „ideale Theonomie". Hier gibt es kein Nebeneinander von Religion und Kultur.

Wenn Tillich eine „Überwindung der Religion" fordert, so bedeutet dies gerade keine Säkularisierung, sondern vielmehr, „daß der göttliche Geist die Kluft zwischen dem Religiösen und dem Säkularen als eigenständigen Bereichen überbrückt" (ST III, 279). Aber die ideale Theonomie ist in der Existenz, die notwendig durch die Entfremdung des Menschen von seinem wahren Wesen geprägt ist, nicht zu verwirklichen. Das ist auch Tillich bewußt. Jedoch führt die Einsicht in das wesensmäßige Ineinander von Religion und Kultur zu einem Religionsbegriff, der die Religion im traditionellen Sinn des Wortes transzendiert, so daß die Begegnung mit dem Göttlichen nicht allein auf die Erfahrung innerhalb dessen, was wir gewöhnlich Religion nennen, beschränkt bleibt. Denn Gott ist nicht an eine besondere Sprache gebunden. „Alle menschlichen Worte sind grundsätzlich für die Möglichkeit offen, ‚Wort Gottes' zu werden." (ST III, 149)

Man muß folglich zwei Begriffe der Religion unterscheiden: einen weiteren und einen engeren. „Religion im weiteren Sinn erscheint als Dimension des Unbedingten in den verschiedenen Funktionen des menschlichen Geistes. Sie ist – metaphorisch gesprochen – die Dimension der Tiefe, der unausschöpflichen Tiefe des Seins, die in diesen Funktionen indirekt erscheint. Direkt begegnen wir in diesen Bereichen etwas anderem, etwa der Wahrheit, dem moralischen Imperativ, der Gerechtigkeit oder der ästhetischen Ausdruckskraft. In diesen allen ist das Heilige gegenwärtig, aber indirekt, es ist im Profanen verborgen und wird durch die Strukturen des Profanen als heilig erfahren. Religion auf dieser Grundlage und in ihrem universalen Sinne kann bezeichnet werden als das Ergriffensein von einem Unbedingten, das sich in verschiedenen Formen manifestiert." (EW IV, 63) Religion im engeren Sinne meint dagegen die Erfahrung des Heiligen in einer besonderen Verkörperung seiner selbst, wie einem heiligen Ort oder einer heiligen Zeit, einer heiligen Person oder einem heiligen Buch. „Diese direkte Begegnung mit dem Heiligen findet meist innerhalb einer heiligen Gemeinschaft statt, die im Abendland durch eine Kirche, einen Orden oder eine religiöse Bewegung vertreten ist." (EW IV, 63) Solch eine heilige Gemeinschaft drückt den besonderen Charakter ihrer Erfahrung des Heiligen „in gewissen Symbolen aus, in Bildern, im Kult und in Regeln für das moralische und soziale Leben der Gruppe" (EW IV, 64).

Religion als das Ergriffensein von dem, was uns unbedingt angeht, ist somit „Religion und zugleich mehr als Religion" (GW VIII, 196). Denn „wer von Gott ergriffen wird, der steht jenseits von Religion und Nicht-Religion. Wenn er jetzt an der

Religion festhält, dann ist es eine verwandelte Religion. Sie ist für ihn nicht länger das einzig gültige Gesetz, sondern ein Weg unter anderen, auf dem sich ihm die Gegenwart des Unbedingten offenbart. Der Mensch, der sich von dem Zwang der Religion befreit, wird frei für die Gnade der Religion. Er ist gesegnet innerhalb und außerhalb der Religion, denn die tiefste Dimension des Daseins hat sich ihm geöffnet." (RR III, 108 f.)

Ein solches Verständnis der Religion wirkt sich auch auf das Verständnis der Theologie aus. Denn die Frage nach der Stellung der Theologie im Aufbau der Wissenschaften entspricht der Frage nach der Stellung der Religion in der Geisteskultur und damit letztlich der Frage nach der Stellung Gottes zur Welt. Wie sich die religiöse Erfahrung nicht auf den Bereich dessen beschränkt, was wir als Religion im engeren Sinne bezeichnet haben, so darf sich auch die Theologie nicht auf „religiöse Gegenstände" beschränken. Tillich versteht Theologie nicht als „Rede von Gott als von einem Gegenstand neben anderen", sondern als „Rede von der Manifestation des Göttlichen in allem Seienden und durch alles Seiende hindurch" (GW IX, 346). In seiner *Systematischen Theologie* schreibt er programmatisch: „Bilder, Gedichte und Musik können Gegenstand der Theologie werden, nicht unter dem Gesichtspunkt ihrer ästhetischen Form, sondern im Hinblick auf ihre Fähigkeit, durch ihre ästhetische Form gewisse Aspekte dessen auszudrücken, was uns unbedingt angeht. Physikalische, historische oder psychologische Einsichten können Gegenstand der Theologie werden, nicht wegen ihres Charakters als Formen der Erkenntnis, sondern wegen ihrer Fähigkeit, etwas von letzter Bedeutung zu enthüllen. Soziale Ideen und Handlungen, Gesetzesvorschläge und Verfahren, politische Programme und Entscheidungen können Gegenstand der Theologie werden, aber nicht hinsichtlich ihrer sozialen, gesetzlichen oder politischen Form, sondern im Hinblick auf ihre Fähigkeit, etwas uns unbedingt Angehendes durch ihre soziale, gesetzliche und politische Form zu verwirklichen. Persönlichkeitsprobleme und -entwicklungen, Erziehungsziele und -methoden, körperliche und geistige Heilungen können Gegenstand der Theologie werden, aber nicht unter dem Gesichtspunkt ihrer autonomen Form, sondern unter dem Gesichtspunkt ihrer Fähigkeit, durch ihre autonome Form etwas von letztem und unbedingtem Gewicht zu vermitteln." (ST I, 21)

Tillichs Theologie hat mit diesem Programm Ernst gemacht. Schaut man sich seine Schriften an, so muß man zugestehen: Tillich hat dies *alles* zum Thema der Theologie erhoben. In diesem Sinne sind selbst die Schriften zum religiösen Sozialismus (vgl. GW II) als eine „Theologie der Politik" zu verstehen. Nicht anders steht es mit seinen Schriften zur Kunst (vgl. GW IX, 312ff.). Einem Kunsthistoriker mögen diese Überlegungen nicht viel bedeuten, aber Tillich geht es ja nicht um Kunstgeschichte, sondern um „Theologie der Kunst".

Mit diesem Verständnis von Theologie wendet sich Tillich zum einen gegen die – wie er selbst sagt – „Escape"-Theologie (GW XIII, 25) der letzten zweihundert Jahre, die eine letztlich unhaltbare Stellung verteidigte und eine Position nach der anderen aufzugeben gezwungen war. Zum anderen kämpft er gegen die „neue Orthodoxie", die sich nicht mehr mit kulturellen Problemen befaßt und die christliche Botschaft als eine Summe geoffenbarter Wahrheiten betrachtet, welche wie Fremdkörper aus einer fremden Welt in die menschliche Situation hineingefallen sind. Demgegenüber fordert Tillich im Anschluß an ein bekanntes Wort Nietzsches eine „Theologie des Angriffs" (Dogmatik, 25), die die Wirklichkeit nicht mehr dem Mechanismus der bürgerlichen Weltanschauung überläßt. „Theologie des Angriffs" – das heißt Angriff auf eine säkulare Welt, die glaubt, in sich ruhen zu können. Nur der Angriff kann jedoch siegreich sein, durch Zurückweichen kann nichts gerettet werden. Diesen Schritt nach vorne hat Tillich in seiner Theologie gewagt. Er will somit dem säkularen Menschen keinen Raum, keinen Ort lassen, der von der Religion im weiteren Sinne nicht umgriffen wäre. Tillich nimmt ihn sozusagen in die religiöse Sphäre hinein, indem er ihm die Tore zum Heiligen, zum Tempel öffnet. So gibt er ihm die Möglichkeit, Religion wieder ernst zu nehmen.

In seinem frühen Vortrag „Über die Idee einer Theologie der Kultur" von 1919 sieht Tillich die Aufgabe der Kulturtheologie darin, die konkreten religiösen Erlebnisse, die in allen großen Kulturerscheinungen eingebettet liegen, herauszustellen und zur Darstellung zu bringen, also eine allgemeine religiöse Analyse sämtlicher Kulturschöpfungen zu geben (vgl. GW IX, 19f.). Dieser Forderung der Kulturtheologie widmet er 1926 die Schrift *Die religiöse Lage der Gegenwart* (vgl. GW X, 9–93). Gegenüber der autonomen Geisteshaltung fordert Tillich hier einen „gläubigen Realismus", „ein unbedingtes Ernstnehmen der konkreten Lage unserer Zeit und der Zeit vor der Ewigkeit überhaupt" (GW X, 46). „Das Ganze ... soll sich erfüllen lassen von einem aus dem Ewigen stammenden und ins Ewige reichenden Gehalt." (GW X, 47). Ziel ist eine Geisteslage, die in all ihren Formen und Symbolen dem Ewigen zugewandt ist. In einer solchen Geisteslage gibt es grundsätzlich „keine in sich ruhende Endlichkeit, auch nicht in Wissenschaft und Wirtschaft, auch nicht in Recht und Politik", denn die Offenbarung ist von nichts Bedingtem ausgeschlossen (GW X, 75).

Die „Sehnsucht" nach einer solchen Geisteslage sieht Tillich im zweiten Jahrzehnt des 20. Jahrhunderts in allen kulturellen Bereichen hervorbrechen. Es sieht so aus, als käme eine Bewegung in Gang, die die „bürgerliche Autonomie" zu überwinden sucht, aber trotzdem keinen Rückfall in eine „kirchliche Heteronomie" bedeutet. Ziel ist vielmehr eine „Theonomie", d.h. „freie Hinwendung der zeitlichen Formen zum Ewigen" (GW X, 92). Tillich ist in dieser Zeit von der Überzeugung getragen, daß sich „ein neuer *kairos*, eine neue Zeitenfülle" anbahnt. „Wir alle stehen in diesem Werden", schreibt er 1924, „die einen näher der Kirche, die anderen näher der Gesellschaft." (GW IX, 46)

Diese Sicht Tillichs in den zwanziger Jahren, die die Wirklichkeit in einer geradlinigen Entwicklung hin zum Ideal einer Theonomie sah, war freilich zu optimistisch. Der Geschichtsverlauf, so zeigt sich im nachhinein, ist mehr durch das Hin und Her von heilig und profan, von ewig und zeitlich beherrscht, als Tillich es damals wahrhaben wollte, auch wenn man ihm zustimmen kann, daß in den zwanziger Jahren Tendenzen sichtbar wurden, die in einer Abwendung von der Autonomie der bürgerlichen Gesellschaft bestanden. In einem Vortrag über „Die Grundlagen des religiösen Sozialismus", den Tillich im Sommer 1960 in Tokio gehalten hat, heißt es im Rückblick selbstkritisch: „Es war unser kühner Glaube, daß das Ende des ersten Weltkriegs und besonders die Niederlage Deutschlands einen Einbruch des Ewigen in das Zeitliche bedeutete ... Die Frage, ob wir mit dieser Auffassung recht oder unrecht hatten, kann nicht unmittelbar beantwortet werden. Man könnte sagen, daß wir im Unrecht waren, weil wir die Zeichen der Zeit falsch deuteten." (GW XIII, 412) Trotzdem gab Tillich die Sehnsucht nach einer neuen Theonomie zeitlebens nicht auf.

Kein anderer als Dietrich Bonhoeffer erkannte das Scheitern Tillichs sehr früh, wenn er in *Widerstand und Ergebung* schreibt: „Tillich unternahm es, die Entwicklung der Welt selbst – gegen ihren Willen – religiös zu deuten, ihr durch die Religion ihre Gestalt zu geben. Das war sehr tapfer, aber die Welt warf ihn vom Sattel und lief allein weiter; auch er wollte die Welt besser verstehen, als sie sich selbst verstand; sie aber fühlte sich völlig mißverstanden und wies ein solches Ansinnen ab."[11] Auch der theologische Gegner Karl Barth bringt es in seiner öffentlich ausgetragenen Kontroverse mit Tillich schon 1923 auf den Punkt, wenn er hier an Tillich das „so großzügig geübte *Generalisieren*" kritisiert, „dieses Beziehungen-Behaupten zwischen Gott und allem und jedem zwischen Himmel und Erde", und wenn er in bezug auf Tillich von „dieser breiten allgemeinen Glaubens- und Offenbarungswalze" spricht, die „alles und nichts ausrichtend über Häuser, Menschen und Tiere" hinweggeht (GW VII, 234). Und er sieht bei Tillich auch mehr den Gott Schleiermachers und Hegels als den Luthers und Kierkegaards am Werk.

Die Gefahr einer solchen Theologie besteht zweifellos darin, daß alles ins „ungeschiedene Einerlei" zu verschwimmen droht, wie es der Philosoph Wilhelm Weischedel einmal formuliert hat.[12] Und selbst der Freund Adolf Löwe meint in diesem Sinne, daß Tillich in seinem Versuch, das Christentum mit der modernen Kultur zu versöhnen, letztlich gescheitert sei; ja, daß das Christentum dadurch sogar verdünnt worden wäre (vgl. EW V, 370). Dieses Urteil trifft aber sicherlich nicht zu, wirkt doch Tillich der Nivellierung alles Offenbarungsgeschehens nicht zuletzt dadurch entgegen, daß er die Offenbarung in Jesus als dem Christus als die letztgültige und damit normgebende Offenbarung versteht (vgl. ST I, 159).

Das Ideal oder Telos einer Theologie der Kultur ist die Theonomie: Hier wäre alles Heilige profan, und alles Profane besäße Heiligkeitsqualität; d.h. alles Bedingte wäre transparent auf seinen Grund hin. Aber die ideale Theonomie ist nicht realisierbar. Sie bleibt – theologisch gesprochen – ein eschatologisches Symbol. Und doch ist es die Überzeugung Tillichs, daß die Geschichte in immer neuen Anläufen auf diese Theonomie zugeht, „erfolgreich oder scheiternd, niemals vollendet, immer aber getrieben durch die transzendente Kraft der Vollendung" (GW XII, 49). So wird es verständlich, wenn Tillich Autonomie, Heteronomie und Theonomie als Mächte begreift, die auf allen Gebieten und in der gesamten Geschichte miteinander ringen. Diese Mächte bestimmen den Einzelnen so gut wie eine ganze Geisteslage, und sie bestimmen den gesamten Geschichtsprozeß.

Auch Tillichs Ethikkonzeption wird mit Hilfe dieser Kategorien verständlich. Ich begnüge mich hier mit einigen Andeutungen: Im moralischen Gebot tritt uns nach Tillich unser wahres, essentielles Sein gegenüber und stellt eine Forderung an unser existentielles Sein. Handeln wir *gegen* diese Forderung, so handeln wir letztlich gegen uns selbst. „Unbedingt" ist das moralische Gebot, weil es uns von unserem wahren Sein auferlegt wird – und nicht „von außen" oder durch irgendeine Autorität, denn das wäre heteronom. Gottes Wille ist in diesem Sinne also nicht ein willkürlicher Befehl vom Himmel, sondern vielmehr „die Struktur unseres wahren Seins, das im moralischen Gebot zu uns spricht" (EW IV, 49).

So wie die Kultur in ihrem eigentlichen Wesen religiös ist, so ist es nach Tillich auch die Moralität, d.h. die religiösen Prinzipien sind in den Prinzipien des moralischen Handelns enthalten. So wie Tillich in seiner Kulturtheologie den Gegensatz von Religion und Kultur zu transzendieren sucht, so sucht er in seiner Ethikkonzeption den Gegensatz von Nomismus und Antinomismus in Richtung auf eine Position hin zu transzendieren, die „jenseits" des Gesetzes liegt, aber nicht jenseits des Gebotes der Liebe. „Der Begriff ‚theonom' in bezug auf Kultur und Moralität", so heißt es in der *Systematischen Theologie*, „hat die paradoxe Bedeutung von ‚trans-kultureller Kultur' und ‚trans-moralischer Moral'." (ST III, 305) Diesem theonomen Charakter seiner Ethikkonzeption gibt Tillich auch in dem englischen Titel seines ethischen Hauptwerkes Ausdruck: *Morality and beyond*. Es darf allerdings nicht übersehen werden, daß die Ethik, wie Ingeborg Henel feststellt, „ein Stiefkind in Tillichs Philosophie" darstellt.[13]

Die theonome Grundstruktur der Theologie Tillichs läßt sich auch in seinem Gebetsverständnis nachweisen. Tillich gebraucht den Begriff der Theonomie zwar selbst nicht im Zusammenhang seiner Gebetsauffassung, gleichwohl gibt dieser Begriff geradezu den Leitgedanken seines Gebetsverständnisses wieder. Wenn Tillich auf die Frage eines Studenten, ob er denn auch bete, lapidar antwortet: „Always and never", so drückt sich in dieser paradoxen Antwort prägnant das ganze Programm seiner Kulturtheologie aus. „Always and never" meint – kulturtheologisch gewendet – nichts anderes als: Alles Profane ist heilig, und alles Heilige ist profan. Aber genauso wie die ideale Theonomie in der Wirklichkeit nicht realisiert werden kann, sondern ein eschatologisches Symbol ist, kann auch das Wort „Always and never" immer nur als Richtschnur dienen, als Zielpunkt, als Telos. Verwirklichen können wir es nicht. Das war natürlich auch Tillich bewußt. Und weil dies so ist, weil diese Überwindung letztlich nicht möglich ist, steht das Gebet unter denselben Zweideutigkeiten wie die Religion. Aber das alles hat Tillich nicht davon abgehalten, zu beten und auch selbst sehr bewegende Gebete zu formulieren.

Offenbarung ereignet sich also nach Tillich nicht nur in der spezifisch religiösen Sphäre. Vielmehr *kann* sie in jeder Sphäre geschehen. In religiöser Terminologie spricht Tillich dem Offenbarungsträger Heiligkeitsqualität zu; religionsphilosophisch gewendet spricht er vom ‚Symbol'. Offenbarung hat notwendig symbolischen Charakter (vgl. GW I, 353). Das führt uns auch schon zum zweiten Teil dieses zweiten Kapitels, zum Symbolbegriff.

Doch zuvor sind noch zwei mögliche Mißverständnisse aus dem Weg zu räumen: nämlich einmal, Tillich propagiere eine „Religion des Herzens", zum anderen, sein Religionskonzept bedeute die idealistische Auflösung des Christentums und führe zu einer allgemeinen und universalen Menschheitsreligion. Die Alternative „öffentliche Religion" oder „Religion des Herzens" ist für Tillich ein falscher Gegensatz. Denn Religion umfaßt notwendig beide Momente. Das trifft sowohl für den engeren als auch für den weiteren Religionsbegriff zu. „Da der Mensch nur in der Begegnung mit der anderen Person Person werden kann und da die Sprache der Religion – selbst wenn sie lautlose Sprache ist – von der Gemeinschaft abhängig ist, bleibt alle ‚subjektive Religiosität' ein Reflex der Gemeinschafts-Tradition ... Es gibt nichts derartiges wie ‚private Religion'." (ST III, 241) Der zweite Einwand, Tillichs Religionsbegriff löse das Christentum auf und führe zu einer allgemeinen universalen Menschheitsreligion, trifft ebenfalls nicht zu, wenn auch verschiedene Aspekte in diese Richtung zu deuten scheinen. Man könnte diese Kritik auch dahingehend formulieren, daß man Tillich vorhält, sein Religionsbegriff weise kaum noch eine Beziehung zum spezifisch Christlichen auf. Richtig ist hieran, daß Tillichs weiter Religionsbegriff nicht auf das Christentum beschränkt ist. Tillich behauptet in der Tat, daß das Ergriffensein von etwas, das uns unbedingt angeht, ein die ganze Menschheit erfassendes Phänomen sei. In diesem Sinne ist sein Religionsverständnis eine äußerste Abstraktion, die jedoch auch auf den christlichen Glauben zutrifft, da Tillich sie selbst als die abstrakte Übersetzung des großen Gebotes versteht: „Der Herr, unser Gott, ist *ein* Gott. Und du sollst Gott, deinen Herrn, lieben von ganzem Herzen, von ganzer Seele, von ganzem Gemüte, und von allen deinen Kräften" (vgl. ST I, 19). Den christlichen Glauben versteht Tillich so als den „Zustand des Ergriffenseins durch das Neue Sein, wie es in Jesus als dem Christus erschienen ist" (ST III, 156).

Nehmen wir uns aufgrund religiöser oder theologischer Voreingenommenheit die Möglichkeit zur Abstraktion, so lautet Tillichs Argument, und formulieren einen Religionsbegriff nicht auf eine Weise, die über unser eigenes Sein hinausgreift, dann nehmen wir uns die Möglichkeit, mit der säkularisierten Kultur und den anderen Religionen ins Gespräch zu kommen. Demgegenüber erlaubt es Tillichs weiter Religionsbegriff sogar, Bewegungen wie den Faschismus, Nationalsozialismus und Kommunismus als „Quasi-Religionen" zu begreifen; denn in diesen Fällen werden endliche Dinge in den Rang des Unbedingten erhoben. Aber auch dann haben wir es nach Tillich mit säkularen Quasi-Religionen zu tun, wenn Gegenstände wie Wissenschaft oder Erfolg im Leben zu letzten Anliegen gemacht werden (vgl. EW IV, 65). Tillichs Bestimmung der Religion als das, was uns unbedingt angeht, deutet ja schon auf diese doppelte Möglichkeit hin: *Unbedingt* kann *mich* alles Mögliche angehen – eben auch die Wissenschaft oder der Erfolg im Leben. *Wirklich unbedingt* kann mich natürlich immer nur *das wahrhaft Unbedingte* angehen – und nichts Vorläufiges, Bedingtes.

Ein letzter Einwand könnte vielleicht lauten: Was kann man aus der Einsicht in die wesensmäßige Einheit von Religion und Kultur ableiten, einer Einheit, die so nie realisiert werden kann? Was hilft das Wissen um ein Ziel, ein Telos, das de facto unerreichbar bleibt? Hierauf ist zu antworten, daß es eben einen Unterschied ausmacht, ob man diesen Widerspruch als gegeben hinnimmt oder ob man ihn als etwas durchschaut, das es grundsätzlich zu überwinden gilt. Denn allein damit verliert dieser Widerspruch schon seine letzte Schärfe. Die ideale Theonomie ist nicht zu realisieren. Aber eine fragmentarische Realisierung ist möglich. Und nach Tillich gilt das folgende Prinzip: Eine Religion ist „um so wahrer, je mehr sie, ohne

Verlust ihrer spezifisch religiösen Kraft, sich selbst als Religion gegenüber der Kultur aufhebt, je näher sie der Theonomie steht" (GW II, 97). Tillich hat diese Gedanken auch schon früh für sein Kirchenverständnis fruchtbar gemacht, wenn er zwischen einer „latenten" und einer „manifesten" Kirche unterscheidet. „‚Latente' Kirche ist überall da auf dem Boden der autonomen Gesellschaft zu finden, wo die christliche Substanz sich im Widerspruch zu dem autonomen Lebensgefühl des Humanismus in gebrochen humanistischen Formen durchsetzt." (GW IX, 80) Seine Ausführungen über die Geistgemeinschaft in ihrem latenten und manifesten Stadium in der *Systematischen Theologie* knüpfen hieran an (vgl. ST III, 179ff.).

b) Der Symbolbegriff

Heinz Zahrnt vertritt zu Recht die Ansicht, daß man den Charakter einer Theologie daran erkennen könne, welche Präpositionen in ihr vorherrschen.[14] So regiert bei Karl Barth das „über". Gott ist hiernach „über" der Welt. Ihm geht es also um die Betonung der überweltlichen Gottheit Gottes. Demgegenüber ist es bei Tillich das „in": Gottes Wirklichkeit begegnet uns „in" der Welt, „in" und „durch" die Weltwirklichkeit wird der Grund sichtbar, wird das Göttliche transparent. Gott ist hier weniger als ein fremdes Sein zu begreifen, sondern zunächst als das „ganz Eigene", „das, was jedes Weges Anfang ist" (GW VIII, 35). Diesem „In-Sein" Gottes korrespondiert in Tillichs Denken erkenntnistheoretisch der Symbolbegriff, den es nun näher zu entfalten gilt.

Das Symbol ist grundsätzlich vom Zeichen zu unterscheiden. Zwar haben Symbol und Zeichen gemeinsam, daß sie auf etwas hinweisen, das außerhalb ihrer selbst liegt, doch besteht zwischen beiden der fundamentale Unterschied, daß Zeichen keinen Anteil haben an der Wirklichkeit und Mächtigkeit dessen, was sie bezeichnen. Symbole hingegen partizipieren an Sinn und Macht dessen, was sie symbolisieren. Da Zeichen nicht an dem teilhaben, worauf sie hinweisen, können sie aus

Gründen der Zweckmäßigkeit in freier Vereinbarung durch andere Zeichen ersetzt werden. Symbole dagegen lassen sich nicht beliebig ersetzen durch andere Symbole. Sie werden „geboren" und „sterben", während Zeichen eingeführt und wieder entfernt werden. Symbole entstehen und vergehen wie lebende Wesen. „Sie entstehen, wenn die Zeit reif dafür ist, und sie vergehen, wenn die Zeit über sie hinweggeschritten ist." (GW VIII, 140)

Symbole können nicht willkürlich erfunden werden. Sie verdanken ihre Entstehung nicht der Zweckmäßigkeit oder Konvention, wie es beim Zeichen der Fall ist. Woher aber stammen sie? Tillich knüpft an C. G. Jung an, wenn er in dieser Frage auf das „kollektive Unterbewußte" verweist: „Sie sind nicht absichtlich erfunden worden, sondern in einer Gruppe entstanden, die in *diesem* besonderen Symbol, *diesem* Wort, *dieser* Fahne oder was immer es sein mag, ihr eigenes Sein wiedererkennt." (GW V, 216) Das bedeutet, daß ein Symbol in dem Augenblick „stirbt", in dem die innere Beziehung der Gruppe zu diesem Symbol erlischt. „Das Symbol ‚sagt' dann nichts mehr ‚aus'." (GW V, 216)

Symbole eröffnen uns Wirklichkeitsschichten, die nur sie sichtbar machen können. Um diese Wirklichkeitsschichten zu erschließen, müssen auch die Schichten unserer Seele geöffnet werden. Die Schichten unserer inneren Wirklichkeit müssen mit den Schichten der äußeren Wirklichkeit, die durch die Symbole zugänglich gemacht werden, korrespondieren. Jedes Symbol wirkt somit auf zweifache Weise: Es öffnet sowohl tiefere Schichten der Wirklichkeit als auch tiefere Schichten der Seele. So erfährt der Mensch z.B. in der Begegnung mit heiligen Orten, heiligen Zeiten, heiligen Personen oder heiligen Bildern etwas von dem Heiligen selbst. Diese Erfahrung kann nicht durch eine Erkenntnis mittels philosophischer oder theologischer Begriffe ersetzt werden.

„Wie alle anderen decken die religiösen Symbole eine verborgene Wirklichkeitsschicht auf, die auf keine andere Weise sichtbar gemacht werden kann." (GW V, 216f.) Es handelt sich hierbei um die „Tiefendimension der Wirklichkeit selbst", nicht um eine Schicht neben anderen, sondern um die fundamentale, die allen anderen Schichten zugrunde liegt, die Schicht des Sein-Selbst. Weil die Dimension der letzten Wirklichkeit auch die Dimension des Heiligen ist, kann man die religiösen Symbole auch „Symbole des Heiligen" nennen. Sie haben teil an der „Heiligkeit des Heiligen". „Doch Teilhabe ist keine Identität. Symbole sind nicht selbst das Heilige." (GW V, 217)

Adäquat ausdrückbar ist etwas nur, wenn es so begriffen wird, wie es begreifbar ist. Gott aber ist in dieser Weise vom menschlichen Intellekt nicht begreifbar. Denn unser menschlicher Intellekt ist endlich, Gott aber ist unendlich. Es besteht folglich ein Abstand zwischen dem Ausdruck und dem, was ausgedrückt wird bzw. ausdrückbar ist. Tillich gibt hierzu ein schönes Beispiel: „In diesem Stein, diesem Baum, diesem Menschen ist unbedingte Wirklichkeit, ist Sein-Selbst; sie sind transparent im Hinblick auf das Unbedingt-Wirkliche; aber sie sind auch trübe und verhindern das Unbedingt-Wirkliche, durch sie hindurchzuscheinen." (GW IX, 358) Symbolische Sprechweise meint also keine adäquate Aussage. Da das wahrhaft Unbedingte den Bereich alles Bedingten unendlich weit hinter sich läßt, kann es von keiner Wirklichkeit unmittelbar und angemessen ausgedrückt werden. „Religiös gesprochen heißt das: Gott transzendiert seinen eigenen Namen." (GW VIII, 141)

Die religiösen Symbole entstammen dem unbegrenzten Material der erfahrbaren Wirklichkeit. In der Geschichte der Religion sind fast alle Formen des Daseins irgendwann einmal zum Symbol geworden. Dies ist möglich, weil alles Endliche auf dem letzten Seinsgrund ruht. Grundsätzlich kann alles Wirkliche zum Symbolträger werden. Die Auswahl des Materials hängt jeweils von dem speziellen Verhältnis des menschlichen Geistes zu seinem letzten Seins- und Sinngrund ab. Die scheinbar verschlossene Tür zum Chaos der religiösen Symbole kann man nach Tillich öffnen, wenn man sich die Frage stellt, welche Beziehung diese Symbole zum Unbedingten haben, das durch sie symbolisiert wird.

Tillich unterscheidet zwei grundlegende Schichten der religiösen Symbole: eine transzendente Schicht, die über die empirische Wirklichkeit hinausgeht, und eine immanente, die sich innerhalb der uns begegnenden Wirklichkeit befindet. Das grundlegende Symbol der transzendenten Schicht ist das Wort „Gott". „Wiederum würde es völlig falsch sein zu fragen: Also dann ist Gott nur ein Symbol? Denn die nächste Frage müßte dann lauten: Ein Symbol wofür? Und darauf wäre nur eine Antwort möglich: Für Gott. ‚Gott' ist Symbol für Gott. Das bedeutet, daß wir in unserer Gottesvorstellung zwei Elemente zu unterscheiden haben, nämlich einmal das Element der Unbedingtheit, das sich uns in unmittelbarer Erfahrung erschließt und an sich nicht-symbolisch ist, und zum anderen das konkrete Element, das unserer gewöhnlichen Erfahrung entnommen ist und symbolisch auf Gott bezogen wird." (GW VIII, 142) So hat der Mensch, der z.B. Jahwe, den Gott Israels, verehrt, nicht nur ein unbedingtes Anliegen, sondern auch ein konkretes Bild dessen, was ihn unbedingt angeht. „Das ist der Sinn der scheinbar so paradoxen Feststellung, daß ‚Gott' das Symbol Gottes ist." (GW VIII, 143). Man kann also nicht einfach sagen, daß Gott ein Symbol ist, man muß vielmehr auf zweifache Weise von ihm reden: symbolisch und nichtsymbolisch. „Wenn wir nichtsymbolisch reden, sagen wir, daß er die letzte Wirklichkeit, das Sein-Selbst, der Grund des Seins, die Macht des Seins ist. Wenn wir symbolisch reden, nennen wir ihn das höchste Wesen, in dem alles Endliche in höchster Vollkommenheit vereinigt ist." (GW V, 218)

Tillich geht es mit dieser Unterscheidung darum, etwas über den Bezugspunkt der religiösen Sprache auszusagen. Wollen wir nicht in einen Zirkelschluß geraten, dann darf eine solche Aussage selbst nicht mehr symbolisch sein. Zwar sind alle Aussagen über Gott symbolisch, selbst der Begriff „Gott" ist in diesem Sinne ein Symbol. Doch muß es etwas geben, auf das sich diese Symbole beziehen lassen. Dieses „etwas" benennt Tillich mit Begriffen wie „Sein-Selbst" oder „Macht des Seins". Natürlich weiß Tillich, daß ein Begriff wie „Sein-Selbst" *als Begriff* auch ein Symbol ist, mit dem man nur allzu gerne bestimmte Inhalte verbindet, Inhalte, die selbst wiederum der Endlichkeit entnommen sind. Aber es besteht schon ein Unterschied zwischen Aussagen wie: Gott ist Person oder Liebe, und: Gott ist das Sein-Selbst oder das Unbedingte. Mit Begriffen wie ‚Person' oder ‚Liebe' benennen wir nämlich auch das Bedingte, mit Begriffen wie ‚Sein-Selbst' oder ‚Macht des Seins' hingegen das Bedingte nicht. Aus diesem Grunde kann Tillich sagen, daß letztere nicht-symbolisch zu verstehen sind bzw. vorsichtiger: daß sie die Grenzlinie zur symbolischen Aussage bilden (vgl. ST II, 16).

In unserer Beziehung zum Unbedingten sind wir jedoch immer gezwungen, symbolisch zu reden. „Wir könnten nie in Kommunikation mit Gott treten, wenn er *nur* das ‚Sein-Selbst' wäre. In unserer Beziehung zu ihm begegnen wir ihm in der höchsten Stufe unseres Seins: als Person." (GW V, 218) Damit sind wir beim zweiten Element der transzendenten Schicht angelangt, die von den Attributen Gottes handelt. Gott ist hiernach Liebe, Barmherzigkeit, Kraft, er ist allwissend, allgegenwärtig und allmächtig – und er ist Person. Es geht hierbei um das, was über ihn ausgesagt werden kann. „Diese Attribute haben wir von unseren eigenen Eigenschaften entlehnt. Sie können daher nicht buchstäblich auf Gott angewandt werden." (GW V, 219) – Was bedeutet das z.B. in bezug auf das Prädikat „persönlich" oder „personal", wenn wir es auf Gott anwenden: „‚Persönlicher Gott' bedeutet nicht, daß Gott eine Person ist. Es bedeutet, daß Gott der Grund alles Personhaften ist und in sich die ontologische Macht des Personhaften trägt. Er ist nicht: eine Person, aber er ist auch nicht weniger als eine Person ... Das Symbol ‚Persönlicher Gott' ist irreführend." (ST I, 283) Das heißt nun aber nicht, daß Tillich einen ‚unpersönlichen' Gott annimmt. Für ihn ist das Sein Gottes ‚überpersönlich'. Aber ‚überpersönlich' ist nicht ‚unpersönlich'.

Ein drittes Element der transzendenten Schicht hat die Handlungen Gottes zum Inhalt: daß er die Welt geschaffen hat, daß er seinen Sohn gesandt hat, daß er die Welt vollenden wird. „In all diesen temporalen, kausalen und ähnlichen Ausdrucksweisen sprechen wir ebenfalls symbolisch von Gott." (GW V,

219) Ein buchstäbliches Verständnis würde Gott in die Welt des Bedingten einreihen, er transzendiert aber die Kategorien von Raum und Zeit.

Die immanente Schicht der religiösen Symbole umfaßt die Erscheinungen des Göttlichen in Zeit und Raum, die „Manifestationen des Göttlichen in Dingen und Ereignissen, in einzelnen Menschen und Gemeinschaften, in Worten und Schriften" (GW VIII, 144). Obwohl sie selbst also *Realitäten* in der Welt sind, kann man sie nach Tillich als Symbole bezeichnen, da sie die Gegenwärtigkeit des Göttlichen in der Erscheinung vertreten.

Die transzendente Schicht der religiösen Symbole mit ihren drei Elementen: das Wort „Gott", die Attribute Gottes und die Handlungen Gottes, und die immanente Schicht der religiösen Symbole faßt Tillich an anderer Stelle unter dem Begriff der „unfundierten Schicht" der religiösen Symbole zusammen und unterscheidet sie von einer „fundierten" Schicht, welche die sogenannten „religiösen *Hinweissymbole*" enthält (GW V, 206). Wird in der unfundierten Schicht die religiöse Gegenständlichkeit „gesetzt" – weshalb Tillich sie auch als „unfundiert" bezeichnet –, so weisen die religiösen Hinweissymbole auf jene hin und sind also selbst wiederum fundiert.

Bei den religiösen Hinweissymbolen haben wir es mit der ungeheuer breiten Schicht der Zeichen und Ausdruckshandlungen zu tun, „die einen Hinweis auf die religiösen Gegenstände der ersten Schicht enthalten" (GW V, 209). Hierzu gehören nach Tillich sowohl kultische Gebärden als auch bildhafte Symbole wie z.B. das Kreuz. Die Schicht der Hinweissymbole bildet nach Tillich eine sogenannte „Übergangserscheinung", d.h. man kann sie auffassen als „depotenzierte Gegenstandssymbole" der immanenten Schicht. Sie hatten ursprünglich mehr als nur hinweisende Bedeutung, also selbst heilige Kraft. Eine gewisse sakrale Mächtigkeit bewahrt sie auch jetzt noch davor, ins bloß Zeichenhafte abzusinken (vgl. GW V, 210).

Fragt man bezüglich der religiösen Symbole: „Sind sie *nur* symbolisch?", so liegt dieser Frage nach Tillich die Auffassung zugrunde, es gäbe etwas, das mehr sei als symbolisch, nämlich: „buchstäblich". Doch ist nach Tillich buchstäblich in religiösen Dingen nicht mehr, sondern weniger als symbolisch. „Wenn wir von den Dimensionen der Wirklichkeit reden, die wir auf keine andere Weise als durch Symbole erreichen können, dann sind Symbole notwendig und allein adäquat und die Phrase ‚nur symbolisch' ist eine falsche Redeweise. Man kann sagen, ‚*nur* ein Zeichen', aber nicht ‚*nur* ein Symbol'." (GW V, 220) Die Religion kennt keine andere Sprache als die des Symbols.

Der Wahrheitsgehalt von Symbolen ist Tillich zufolge außerhalb der Reichweite jeglicher Empirie angesiedelt, er entzieht sich sowohl der naturwissenschaftlichen als auch der historischen Kritik. Das ist aber nur eine negative Aussage. Das positive Wahrheitskriterium beschreibt Tillich wie folgt: „Die Wahrheit der Symbole liegt darin, daß sie der religiösen Situation, in der sie entstanden sind, entsprechen", d.h. „sie werden unwahr, wenn sie in einer Situation gebraucht werden, der sie nicht mehr entsprechen" (GW V, 222). An anderer Stelle bezeichnet Tillich dieses Wahrheitskriterium als das der Authentizität: „Ein Symbol ist authentisch, wenn es eine lebendige religiöse Erfahrung ausdrückt, und es ist nicht-authentisch, wenn es diese Erfahrungsgrundlage verloren hat und sein Weiterbestehen nur noch der Tradition und seiner ästhetischen Wirkung verdankt." (GW V, 243)

Das Moment der Authentizität ist notwendig, aber nicht hinreichend, denn es beantwortet noch nicht die Frage nach der spezifischen Wahrheit eines bestimmten Symbols. Diese wird erst beantwortet durch das Moment der Angemessenheit. Es ist danach zu fragen, ob das Symbol das im Symbol Gemeinte angemessen zum Ausdruck bringt. Die Frage der Angemessenheit eines Symbols kann nach Tillich auf eine zweifache Weise beantwortet werden: „Negativ erweist sich seine Angemessenheit dadurch, daß es sich selbst in seiner Konkretheit negiert und dadurch für das, worauf es hinweist, transparent wird. Positiv erweist sie sich durch die Art des symbolischen Stoffs." (GW V, 243) Ein Symbol ist also um so wahrer, je stärker es der Verabsolutierung und der wörtlichen

Interpretation widersteht und je mehr es durch seine Selbstnegierung über sich hinausweist auf das Unbedingte. Was den Stoff angeht, so besteht eben ein Unterschied, ob ein religiöses Symbol seinen Stoff aus der anorganischen Natur, der organischen Natur oder aus dem Bereich des Geistigen entnimmt. Denn nur im letzten Fall enthält das Symbol alle Dimensionen der Wirklichkeit.

Wie kommt Tillich zu diesem Wahrheitskriterium der Angemessenheit im negativen Sinne? Ich meine, daß hier das Christusereignis im Hintergrund steht; in diese Richtung weist zumindest der folgende Text: „Wenn das Christentum den Anspruch erhebt, in seinem Symbolismus eine Wahrheit zu besitzen, die jeder anderen Wahrheit überlegen ist, so findet es sie im Symbol des Kreuzes, im Kreuz Jesu Christi. Er, der in sich die Fülle göttlicher Gegenwart verkörpert, opfert sich selbst, um nicht ein Götze, ein Gott neben Gott, ein Halbgott zu werden, zu dem seine Jünger ihn gern gemacht hätten. Und deshalb ist der entscheidende Text im Markusevangelium und vielleicht im ganzen Neuen Testament die Geschichte, in der Jesus den ihm von Petrus angebotenen Namen ‚Christus' nur unter der Bedingung annimmt, daß er nach Jerusalem gehen und dort leiden und sterben müsse. Und das bedeutet, daß er die Vergötzung seiner selbst verneint. *Dies ist das Kriterium für alle Symbole*, und es ist das Kriterium, dem sich jede christliche Kirche unterwerfen sollte." (GW V, 222 – Herv. v. Vf.) Die Symboltheorie Tillichs scheint somit in der entscheidenden Frage, nämlich in der Frage nach der Wahrheit der religiösen Symbole, wesentlich durch das *christologische Paradox* geprägt zu sein, auch wenn Tillich es gerne so hinstellt, als ob umgekehrt das christologische Paradox sich in dieses allgemeine Kriterium zwanglos einfügte.

Gott, so haben wir gesehen, ist allem Bedingten immanent. Folglich kann alles Bedingte Symbol für Gott werden. Ist damit aber nicht die Gefahr des Pansymbolismus gegeben? Ein solcher Vorwurf könnte lauten: Wenn alles Symbol Gottes ist, dann ist nichts mehr Symbol. Hierauf ist zu antworten, daß in Tillichs Begriff des religiösen Symbols eine Doppeldeutigkeit steckt. Wenn gesagt wird, daß alles Bedingte Symbol für Gott sein kann, so meint dies, daß alles Bedingte, da es am Unbedingten teilhat, Ausdruck Gottes ist. Aber „Ausdruck ist immer Ausdruck für jemanden, der ihn als solchen verstehen kann“ (GW IX, 358). Tillich sagt explizit: „Kein endlicher Gegenstand und kein endlicher Vorgang wäre ausgeschlossen ... Grundsätzlich trifft das in der Tat zu, tatsächlich nicht. Unsere Existenz wird nicht nur durch die Allgegenwart des Göttlichen bestimmt, sondern auch durch unsere Trennung von ihm. Könnten wir das Heilige in jeder Wirklichkeit sehen, lebten wir im Reich Gottes. Aber das trifft nicht zu.“ (GW VII, 121) Die ideale Theonomie – so haben wir oben festgestellt – ist eben nicht zu verwirklichen.

Die Einsicht in den notwendig symbolischen Charakter der religiösen Sprache beendet nach Tillich den Konflikt zwischen Glauben und Wissenschaft. Denn der christliche Glaube gerät nur dann unweigerlich mit der modernen Wissenschaft in Widerspruch, „wenn Symbole wie ‚Gott im Himmel‘, ‚der Mensch auf der Erde‘ und ‚Dämonen unter der Erde‘ als Beschreibung von Räumen angesehen werden, die mit Göttern, Menschen und Dämonen bevölkert sind“ (GW VIII, 166). Werden solche Aussagen wörtlich und nicht symbolisch genommen, dann ist der Konflikt mit der Naturwissenschaft unausweichlich. Insofern versteht Tillich den Streit zwischen der Entwicklungslehre Darwins und der Theologie auch nicht als einen Streit zwischen Wissenschaft und Glauben, sondern „zwischen einer Wissenschaft, deren unausgesprochener Glaube den Menschen seiner Menschlichkeit beraubt, und einem Glauben, dessen theologischer Ausdruck durch buchstäbliches Bibelverständnis geprägt und damit entstellt ist“ (GW VIII, 166f.).

Die Konflikte zwischen Glauben und Psychologie sind unter demselben Gesichtspunkt zu sehen. So kann eine Psychologie, die den Seelenbegriff ablehnt, die religiöse Dimension weder leugnen, noch kann eine Psychologie, die den Seelenbegriff kennt, diese Dimension bestätigen, denn die religiöse Wahrheit ist in einer anderen Dimension angesiedelt als die

Wahrheit psychologischer Begriffe. Tillich kämpft hier – nicht anders als Karl Jaspers – entschieden gegen eine Vermengung der Dimensionen. „Die Glaubenswahrheit kann durch die neuesten physikalischen, biologischen oder psychologischen Entdeckungen weder bestätigt noch geleugnet werden." (GW VIII, 168) Kein Ergebnis physikalischer, historischer, soziologischer oder psychologischer Untersuchungen kann für die Religion direkt fördernd oder zerstörend sein. Denn die Offenbarungserkenntnis vermehrt nicht unsere Erkenntis über die Natur, die Geschichte oder den Menschen als biologisches, soziologisches oder psychologisches Wesen. „Es gibt keine geoffenbarte Psychologie, so wenig wie es eine geoffenbarte Geschichtsschreibung oder geoffenbarte Physik gibt." (ST I, 157) Der Gegenstand des Glaubens liegt jenseits des Bereiches, in dem wissenschaftliche Gewißheit möglich ist.

Tillich kämpft mit seinem Symbolverständnis gegen ein buchstäbliches Verständnis religiöser Dinge. Es geht ihm um eine „Deliteralisierung", nicht um eine Entmythologisierung, wie Bultmann sie gefordert hat. Denn eine solche würde nach Tillich die Religion ihrer Sprache berauben. „Der Glaube muß wiederentdecken ..., daß alles Religiöse symbolisch ist. ‚Symbolisch' heißt dabei keineswegs unwirklich. Es bedeutet im Gegenteil: wirklicher als alles Wirkliche in Zeit und Raum." (GW XIII, 342) Ein buchstäbliches Verständnis von Worten und Begriffen in bezug auf Gott würde ihn „herunterzerren auf die Wirklichkeit, die wissenschaftlich und praktisch erforscht werden kann" (GW XIII, 400). „Nicht die Mythen selbst, die großen Mythen der Bibel eingeschlossen, sind töricht, sondern die Menschen, die sie wörtlich nehmen und sie auf die Ebene wissenschaftlicher Aussagen und technischer Weltbewältigung stellen." (GW XIII, 471 f.).

Der Mythos ist somit für Tillich nicht jenes primitive Weltbild, mit dem Bultmann ihn identifiziert, sondern „die notwendige und angemessene Ausdrucksform der Offenbarung" (EW IV, 93). „Mythen sind in jedem Akt des Glaubens gegenwärtig, weil die Sprache des Glaubens das Symbol ist." (GW VIII, 145) Hier wird deutlich, daß Tillich das Wesen des

Mythos nicht nur aus der Periode des vollentwickelten und ungebrochenen Mythos entnimmt, der Göttergeschichte ist, sondern auch aus den Perioden des werdenden und gebrochenen Mythos (vgl. GW V, 187). Er versteht den Mythos in diesem Sinne als „das aus Elementen der Wirklichkeit aufgebaute Symbol für das im religiösen Akt gemeinte Unbedingte oder Seins-Jenseitige" (GW V, 188). Der Kampf der Religion gegen den Mythos ist insofern nach Tillich nicht der Kampf gegen den Mythos überhaupt, sondern der Kampf eines bestimmten Mythos gegen einen anderen (vgl. GW V, 203), womit er der Auffassung von Karl Jaspers sehr nahe kommt.[15]

Tillich unterscheidet zwei Stadien des wörtlichen Mißverstehens der Symbole: ein ursprüngliches und ein abwehrendes. „Im ursprünglichen Stadium werden das Mythische und das Wörtliche nicht voneinander geschieden." (GW VIII, 147) Dieses Stadium endet in dem Augenblick, in dem der Mensch das wörtliche Für-wahr-Halten der Mythen überwindet. Nun eröffnen sich zwei Möglichkeiten: Der ungebrochene Mythos kann durch den gebrochenen ersetzt werden; das wäre der von der Sache her geforderte Weg. Die andere Möglichkeit besteht in dem zweiten Stadium des Wörtlichnehmens der Mythen. Insgeheim weiß der Mensch hier um das Recht des Fragens, er unterdrückt es aber aus Angst vor der damit aufkommenden Ungesichertheit. Nach Tillich ist jedoch auch dieses Stadium in gewissem Sinne zu rechtfertigen, dann nämlich, wenn das kritische Bewußtsein wenig entwickelt ist und leicht beunruhigt werden kann. „Es ist jedoch unentschuldbar, wenn auf dieser Stufe ein reifer Geist in seinem innersten Kern durch politische und psychologische Methoden gebrochen und in einen tiefen Zwiespalt mit sich selbst gestürzt wird." (GW VIII, 147)

Eine Entmythologisierung, die den Mythos gänzlich eliminierte, gibt es somit nicht. Wann immer wir Aussagen über das Unbedingte und unsere Beziehung zu ihm machen, müssen wir uns der Symbolsprache bedienen, also in Mythen sprechen. Selbst wenn wir das Symbol des „Falls" in anderen Worten auszudrücken suchen, bleibt doch die symbolische Redeweise unumgänglich. Der „Fall" ist ja nicht als Titel eines Vorgangs zu verstehen, der sich „irgendwann einmal" in der Geschichte ereignet hat, sondern es geht hier um den Versuch, etwas über die menschliche Situation auszusagen. Selbst wenn man – mit Tillich – für die Deutung dieses Symbols den Ausdruck „Übergang von der Essenz zur Existenz" gebraucht, so ist damit doch keine vollständige Entmythologisierung erreicht, auch wenn hier das Legendäre im Sinne des „Es war einmal" ausgeschieden wird. „Denn der Ausdruck ‚Übergang von der Essenz zur Existenz' enthält noch ein zeitliches Element. Und wenn wir im Zeitschema von Gott-Mensch-Beziehungen sprechen, sprechen wir mythisch, selbst wenn abstrakte Begriffe wie Essenz und Existenz an Stelle mythischer Gestalten gebraucht werden." (ST II, 36) Tillich selbst sagt in der *Systematischen Theologie* von diesem Ausdruck: „Er ist sozusagen eine ‚halbe Entmythologisierung' des Mythos vom Fall." (ST II, 36) Denn der Mythos ist auch hier nicht verschwunden, sondern nur durch einen anderen ersetzt, der vielleicht für die jetzige Zeit als angemessener erscheint und zum Verständnis dessen, was dieser Mythos vom „Fall" aussagen will, hilfreich sein kann. In diesem Sinne kann man Tillichs ganze Theologie als eine „halbe Entmythologisierung" verstehen.

Tillichs Symboldenken erinnert in vielen Punkten an die „Negative Theologie", wie sie exemplarisch von dem paganen Philosophen Plotin entwickelt wurde und durch Pseudo-Dionysius Areopagita ins christliche Denken Eingang gefunden hat. Denn Symboltheorie wie Negative Theologie stellen einen Mittelweg zwischen Adäquation und Agnostizismus dar. Tillich ist sich mit Plotin darin einig, daß Gott in Wirklichkeit kein Name zukommt, daß kein Symbol in der Lage ist, Gott adäquat auszudrücken. Doch da alles Bedingte im Unbedingten gründet, alles Seiende am Sein-Selbst teilhat, kann das Bedingte nicht gänzlich verschieden sein vom Unbedingten, muß das Seiende dem Sein-Selbst ähnlich sein. Alles Bedingte kann Gott somit ausdrücken, drückt ihn aber niemals adäquat aus. Im Gegensatz zur Analogielehre, wie sie z.B. von Thomas von Aquin in seiner *Summa theologiae* (I, 13) vertreten wird, sind die Negative Theologie und die Symboltheorie einfacher, da sie nicht näher zwischen der bezeichneten Sache (*res significata*) und der Art und Weise der Bezeichnung (*modus significandi*) unterscheiden; für sie kommen Gott daher alle Namen nur in einem uneigentlichen Sinne zu.

3. Das Programm einer Theologie der Religionen

Gott, so hat sich gezeigt, ist immanent und transzendent, er ist konkret und unbedingt. Tillich betont das „In-Sein" Gottes in der Welt, gleichzeitig aber immer auch sein „Über-Sein" über alles Endliche und Bedingte. Denn Gott wäre nicht Gott, wenn er die Welt nicht unendlich transzendierte. Diese beiden Aspekte im Verhältnis Gottes zur Welt bestimmen nach Tillich auch entscheidend unser Verhältnis zu Gott, denn hier geht es letztlich darum, in dieser dialektischen Spannung von „In-Sein" und „Über-Sein" Gottes auszuharren, einer Spannung, die immer wieder in Gefahr ist, die eine oder andere Seite zu stark zu betonen.

Sowohl die Immanenz als auch die Transzendenz Gottes streben nach Ausdruck. In diesem Sinne kann man mit Tillich die Religionsgeschichte insgesamt als „ein Ringen um den Ausgleich beider Richtungen" verstehen (GW X, 66). Er begreift „den Konflikt zwischen Konkretheit und Unbedingtheit des religiösen Anliegens" geradezu als „Schlüssel zum Verständnis der Dynamik der Religionsgeschichte" (ST I, 247).

a) Die sakramentale Grundlage der Religion und die prophetische Kritik

Gott ist konkret. Das folgt aus der Immanenz Gottes. Somit ist der erste Typ der religiösen Erfahrung – und er ist auch zugleich der universellste und fundamentalste – der sakramentale. Das sakramentale Denken ist das *eine* Wesenselement der Religion. Im sakramentalen Typ erscheint das Unbedingte „als das Heilige, das in den verschiedensten Gegenständen, Personen und Vorgängen gegenwärtig ist". Diese sakramentale Erfahrung des Göttlichen „in seiner Gegenwärtigkeit hier und jetzt“ bildet die „Grundlage für alle anderen Formen des religiösen Lebens“ (GW IX, 360), denn ohne sakramentale Vergegenwärtigung des Heiligen ist keine Religion möglich. „Keine Religion kann auf die Dauer lebendig bleiben, wenn die Gegenwart des Göttlichen völlig geleugnet wird.“ (GW VII, 131) Die sakramentale Erfahrung ist das „‚tägliche Brot‘ des Glaubens, ohne die ein Glaube leer und abstrakt würde und seine Bedeutung für das Leben des Einzelnen und der Gruppe verlöre“ (GW VIII, 151).

Nach Tillich sind alle Gegenstände und Vorgänge sakramental, in denen das Unbedingte in einem Seienden gegenwärtig angeschaut wird. Ein völliges Verschwinden dieses sakramentalen Elementes würde zu einem Verschwinden des Kultus und schließlich zu einer Aufhebung der Existenz der Religion führen. Wobei an dieser Stelle ausdrücklich zu bedenken ist, daß für Tillich das sakramentale Element nicht dasselbe bedeutet wie die einzelnen Sakramente! „In einer sakramentalen Kirche“, schreibt Tillich, „gibt es heilige Gegenstände, heilige Vorgänge, heilige Funktionen und heilige Personen. Heilig in diesem Sinne heißt nicht: moralisch vollkommen, sondern es heißt: geweiht, dem zugehörig, was uns unbedingt angeht. Der sakramentale Typ der Religion ist abhängig von der Tradition, durch die die mütterliche Substanz von einer Generation zur anderen weiter gegeben wird. In diese Tradition, in diese Substanz ist man hineingeboren, und die priesterlichen Träger dieser Tradition sind Vermittler des Heiligen für jeden, der zu ihr gehört. Das gibt den Trägern der Substanz einer solchen religiösen Gruppe Autorität. Priesterliche Autorität ist die Autorität dessen, in dem das Heilige gleichsam substantiell verkörpert ist. Die Autorität dessen, der der Träger des Heiligen ist, macht ihn unantastbar, gibt ihm die Unverletztlichkeit des Tabus und schließt religiöse Kritik aus.“ (GW III, 152)

Dies weist auch schon darauf hin, welcher Gefahr der sakramentale Typ der Religion ausgesetzt ist. Wird nämlich die religiöse Kritik ausgeschlossen, hat der Träger des Heiligen die Tendenz, sich selbst an die Stelle des Heiligen zu setzen. Zwar fehlt dem sakramentalen Typ das Element der Kritik nicht ganz, aber diese Kritik bewegt sich innerhalb des „sakramentalen Systems" selbst. „Sie kann nie gegen das System als solches gerichtet sein." (GW III, 152)

Gott ist immanent. Das ist die eine Seite des Verhältnisses von Bedingtem und Unbedingtem. Aber Gott ist nicht nur immanent; er ist zugleich auch transzendent. Er ist nicht identisch mit dem Bedingten oder einem bestimmten Bedingten. Das heißt, er spricht nicht nur sein Ja über alles Bedingte, sondern auch sein Nein. Alles Bedingte steht somit immer auch unter dem Nein Gottes. Dies führt zum zweiten Element der Religion, der prophetischen Kritik. Tillich nennt dieses Moment der Religion deshalb „prophetische Kritik", weil der Träger dieser Kritik zumeist der Prophet ist.

Die prophetische Kritik bedarf jedoch des sakramentalen Elementes, des „priesterlichen Geistes" (GW VI, 36), da ein völliges Verschwinden des sakramentalen Elementes zu einem Verschwinden der Religion führen würde. Die prophetische Haltung erwächst aus der priesterlichen Religion, die sie dann mit all ihren Symbolen und Riten der Kritik unterwirft. Das Priesterliche ist „das mütterliche, tragende Prinzip, gleichsam die kosmische Wärme, deren Zusammenballung erst zu den prophetischen Spannungen und Ausbrüchen führt" (GW VI, 36). Das heißt, „nur wo Religion ist, ist das göttliche Nein über die Religion vernehmbar. Verkündigung der Krisis ist Korrektiv und nicht möglich ohne Substanz." (GW VI, 37) „Die Sprache des Revolutionärs ist von denen geformt, gegen die er sich auflehnt. Der Protest eines Reformators stützt sich auf die Tradition, gegen die er protestiert." (RR II, 87). Aus diesem Grunde ist es nach Tillich unmöglich, von einer „absoluten Revolution" zu sprechen.

Ist mit dem sakramentalen Element die Gefahr der „Dämonisierung" gegeben, d.h. der Anspruch eines Bedingten auf Unbedingtheit, so ist die prophetische Kritik zu verstehen als „Angriff des prophetischen Geistes auf sakramentale Vergegenständlichung" (GW VII, 105). Prophetische Kritik ist in diesem Sinne Religion, „die gegen sich selbst als Religion kämpft“ (EW IV, 102). Der Prophet kritisiert nicht von außen wie der Aufklärer, er kritisiert von innen „als der Vertreter des Willens Gottes gegen das priesterlich fixierte, sakramentale System“ (GW III, 152). Der Verteidiger Gottes befindet sich somit im Kampf für Gott gegen die Religion in der paradoxen Lage, „daß er sich der Religion bedienen muß, um die Religion zu bekämpfen“ (GW V, 96).

Die Unbedingtheit Gottes bedeutet das ständige Nein über alles Bedingte. Folglich bedeutet sie auch das ständige Nein über die Religion als eine Möglichkeit des Menschen. Die Religion, will sie wahrhaft Religion sein, muß dieses Nein Gottes über sich selbst in sich als Moment aufnehmen. Das bedeutet, daß jede Religion (und auch jeder einzelne Gläubige) einen „ständigen Idolatrieverdacht gegen sich selbst“ hegen muß (GW III, 204). Für Tillich hat darum allein diejenige Religion die Kraft, Weltreligion zu werden, die diese Negativität gegen sich selbst in ihr eigenes Symbol aufnimmt. Denn je mehr Negativität eine Religion gegen sich selbst vom Unbedingten her richtet, desto mehr berechtigten Absolutheitsanspruch besitzt sie. Dieser Absolutheitsanspruch ist nach Tillich dem Christentum am ehesten zuzugestehen, ist doch diese Negativität in sein Zentralsymbol, das Symbol des Kreuzes, aufgenommen.

Der ständige Idolatrieverdacht gegen sich selbst ist das fundamentale Prinzip der Religion. Wer hiervon abfällt, betreibt Götzendienst. Das Absolute verbietet die Ineinssetzung seiner selbst mit irgendeiner Wirklichkeit. Es gibt in diesem Sinne keine „absolute“ Religion. Die prophetische Kritik, die vom Unbedingten ausgeht, zerbricht die absolute Religion. „Der Protest gegen die Vergegenständlichung ist der Pulsschlag der Religion. Erst wo er fehlt, ist nichts Absolutes mehr in ihr, ist sie ganz Religion, ganz Menschliches geworden.“ (GW I, 383) Die Religion muß sich also selbst unter das Gericht stellen, muß mit „prophetischem Kampf“ jedem Götzendienst, jeder Dämonisierung entgegenwirken. Eine Religion, in welcher der „göttliche Protest“ keine menschliche Stimme mehr findet, ist nach Tillich zum „Vertreter dieses Äons“ geworden. Obwohl dieser Widerstand „fast zu schwer für menschliche Wesen“ ist, so muß er doch aufgebracht werden (RR III, 139). Denn die einzig richtige Haltung gegenüber der Religion ist „Haben, als hätte man nicht“ (RR II, 27).

Tillich scheint die prophetische Kritik im „protestantischen Prinzip“ wiederzuerkennen, wenn es heißt: „Das protestantische Prinzip, dessen Name sich von dem Protest der Protestanten gegen die Entscheidung der katholischen Mehrheit ableitet, enthält den göttlichen und menschlichen Protest gegen jeden absoluten Anspruch, der für eine bedingte Wirklichkeit erhoben wird.“ (GW VII, 86) Das protestantische Prinzip ist nicht identisch mit dem Protestantismus. Zwar versteht Tillich den Protestantismus als eine „besondere geschichtliche Verkörperung“ dieses Prinzips, doch ist der Protestantismus selbst diesem „ewigen protestantischen Prinzip“ unterworfen (GW VII, 12). Das protestantische Prinzip steht „jenseits jeder seiner Verwirklichungen“ (GW VII, 85); es kann „durch keine historische Religion voll ausgeschöpft werden“ (GW VII, 86). In diesem Sinne begreift Tillich das protestantische Prinzip als „Wächter gegen die Versuche des Endlichen und Bedingten, sowohl im Denken als auch im Handeln, sich zur Würde des Unbedingten zu erheben. Es ist das prophetische Gericht über religiösen Stolz, kirchliche Arroganz und diesseitige Selbstgenügsamkeit mit ihren selbstzerstörerischen Konsequenzen.“ (GW VII, 86)

Birgt das sakramentale Element die Gefahr in sich, eine sakramental geheiligte Wirklichkeit zum Göttlichen selbst zu erheben, also den Unterschied zwischen Träger und Inhalt der Offenbarung zu verwischen, so kann das prophetische Element in eine „völlige Leere“ führen. „Der ewige Protest kann dazu führen, daß jeder konkrete Inhalt beseitigt wird. Es kann geschehen und ist geschehen, daß durch die nachdrückliche Betonung der Distanz zwischen Gott und Religion die Religion verlorengeht.“ (GW VII, 136) Um dieser Gefahr zu entgehen, muß sich die prophetische Kritik immer ihrer priesterlichen Substanz bewußt bleiben. Verschwindet der „Priester“, dann verliert der „Prophet“ die Substanz, in der er wurzelt.

Die Religion bewegt sich somit stets zwischen den beiden Gefahrenpunkten der Profanisierung und Dämonisierung. „In jedem religiösen Akt sind beide stets gegenwärtig – offen oder versteckt." (ST III, 120) Aber die Kritik an der Dämonisierung kann immer auch die Säkularisierung vorantreiben, selbst wenn sie das eigentlich nicht beabsichtigt. Denn dadurch, daß der Prophet zu zeigen versucht, daß das Heilige nicht auf besondere Stätten, Gebote und Funktionen beschränkt ist, wird gleichzeitig auch der Weg für eine Verweltlichung der Religion gebahnt. Insofern bedeutet die Profanisierung oder der Säkularismus die radikalste Form der Entdämonisierung. Aber es gilt hier auch das Umgekehrte: Die Profanisierung kann immer in Dämonisierung umschlagen. Denn, so haben die Ausführungen zum Begriff der Quasi-Religion gezeigt, das Vakuum, das durch die Profanisierung entsteht, wird zumeist wieder gefüllt – aber dann nicht vom wirklich Absoluten, sondern von einem Bedingten, das Anspruch auf Absolutheit erhebt.

Diese Überlegungen zu den beiden grundlegenden Elementen der Religion, die auf verschiedene Art die bestimmenden Faktoren in jeder konkreten Religion sind, machen es nach Tillich möglich, die Religionsgeschichte in einem ganz neuen Licht zu deuten. Entscheidend ist hier, daß Tillichs Typologie nicht statischer, sondern dynamischer Natur ist. Das bedeutet, daß sich in jedem Typ Spannungen finden, die ihn über seine Grenze hinaustreiben. Eine solche dynamische Typologie, wie sie Tillich vertritt, hat einen entscheidenden Vorzug gegenüber einer Dialektik, wie wir sie z.B. in der Hegelschen Schule vorfinden. Denn letztere bewegt sich nur in einer Richtung und verweist das, worüber sie dialektisch hinausgegangen ist, in die Vergangenheit. In einer dynamischen Typologie ist das dagegen anders. So wirkt hier z.B. der Polytheismus, den der Monotheismus hinter sich gelassen hat, immer auch in diesem weiter, zwar nicht mehr als eigener Religionstyp, aber als Element. Wir werden die Fruchtbarkeit dieser Sicht im folgenden Abschnitt noch genauer kennenlernen.

b) Das innere Ziel der Religionsgeschichte

Nicht anders als Karl Barth hat auch Paul Tillich an seinem Lebensabend bedauert, daß er die nichtchristlichen Religionen nicht in seinen großen systematischen Entwurf mit einbezogen hat. Die *Systematische Theologie* ist bekanntlich als eine Auseinandersetzung mit der säkularen Welt gedacht. Und doch hat sich Tillich immer wieder mit der religionstheologischen Frage beschäftigt; so schon innerhalb seines Schellingstudiums. Die Ergebnisse dieser frühen Überlegungen wurden aber erst sehr spät ausdrücklich zum Thema, vornehmlich in der kleinen Schrift *Das Christentum und die Begegnung der Weltreligionen* von 1963 (GW V, 51–98) und in Tillichs letztem Vortrag über „Die Bedeutung der Religionsgeschichte für den systematischen Theologen“ von 1965 (EW IV, 144–156) – sehen wir einmal von den programmatischen, aber relativ kurzen Bemerkungen in der *Religionsphilosophie* von 1925 (GW I, 340–346) und in der *Dogmatik* aus demselben Jahr (Dogmatik, 70–75 u. 259–279) ab.

Angeregt wurde diese späte Beschäftigung mit den nichtchristlichen Religionen zum einen durch eine Japan-Reise im Jahre 1960, zum anderen durch die Zusammenarbeit mit dem bekannten Religionshistoriker Mircea Eliade, mit dem Tillich im Winter- und Frühjahrsquartal 1964 in Chicago ein gemeinsames Seminar veranstaltete. In einem Beitrag, den Tillich 1960 zum Thema „Wie sich mein Denken im letzten Jahrzehnt gewandelt hat“ verfaßte, heißt es: „Wenn man sein ganzes Leben der Faszination und der Disziplin des Denkens gewidmet hat, vergißt man leicht, daß sich die Wirklichkeit nur dem erschließt, der existentiell an ihr teilnimmt. Nur wer in der Situation darinsteht, kann über sie rationale Aussagen machen ... Vielleicht war die bedeutsamste Erfahrung in dieser Hinsicht meine Reise nach Japan von Mai bis Juli dieses Jahres. Einer meiner Freunde, dessen politischem Urteil ich unbegrenzt vertraue, fragte mich vor einigen Jahren: ‚Warum beziehen Sie die östliche Welt in ihr religiös-politisches Denken nicht ein?‘ Seitdem bin ich diese mich beunruhigende Bemerkung nicht mehr losgeworden, es steckte der Wunsch dahinter, meinen Provinzialismus abzustreifen, wie ich in meinen Vorträgen in Japan mehrfach bekannte. Ich kann jetzt noch nicht beurteilen, wieweit mir das gelungen ist, aber ich spüre seit der Japanreise eine ungeheure Bereicherung meiner Substanz. Substanz in diesem Zusammenhang bedeutet mehr als neue Einsichten oder etwa eine bessere Kenntnis eines anderen Teils der Welt. Es bedeutet, daß man sich irgendwie gewandelt hat allein durch die Tatsache der existentiellen Teilhabe.“ (GW XIII, 489)

Im erwähnten Vortrag über „Die Bedeutung der Religionsgeschichte für den systematischen Theologen“ entwickelt Tillich auf der Grundlage seiner dynamischen Typologie einen Normbegriff der Religion, den er als Telos, als inneres Ziel der Religionsgeschichte versteht. Mit der Aufstellung eines Normbegriffs der Religion wendet er sich gegen zwei Mißverständnisse: einerseits gegen das Mißverständnis, die verschiedenen Richtungen als nebeneinander gleichberechtigt zu verstehen, andererseits gegen das Mißverständnis, das Ideal einer universalen Religion als gegeben zu betrachten, ein Ideal, das alle Religionen in gleicher Stärke in sich schließt.

Wir haben gesehen, daß die beiden Grundelemente der Religion, die sakramentale Substanz und die prophetische Kritik, in Spannung zueinander stehen; das kann zu möglichen Konflikten und Einseitigkeiten führen. Doch führen diese beiden Elemente nach Tillich auch – über ihren Widerspruch hinaus – zu einer möglichen Einheit. Während Teilhard de Chardin von der Entwicklung eines universalen, auf das Göttliche gerichteten Bewußtseins spricht, das im Grunde christlich ist, nimmt Tillich in seiner dynamisch-typologischen Auffassung keine endlos fortschreitende Entwicklung an, sondern versucht, Elemente herauszuarbeiten, die in jeder Erfahrung des Heiligen vorhanden sind.

Die Einheit dieser beiden grundlegenden Elemente in einer Religion bezeichnet Tillich als die „Religion des konkreten Geistes“. Dieser Name will besagen, daß es der göttliche Geist ist, der in einer solchen Religion konkret, d.h. gegenwärtig ist, daß es aber derselbe göttliche Geist ist, der zugleich auch im

Namen der Religion gegen die Religion protestiert (vgl. EW IV, 150). Schon in der *Religionsphilosophie* von 1925 spricht Tillich diesen Sachverhalt an, wenn er hier die „Religion des Paradox" als die „ideale Synthesis" der beiden fundamentalen Elemente der Religion geltend macht (GW I, 354). Doch eine „ideale Synthesis" hat keine Existenz. Die „Religion des konkreten Geistes" kann immer nur das Telos, das innere Ziel der Religionsgeschichte sein, und insofern ist sie nicht realisierbar. „Wir können diese *Religion des konkreten Geistes* mit keiner der wirklichen Religionen identifizieren, auch nicht mit dem Christentum als Religion." (EW IV, 150) Die „Religion des konkreten Geistes" ist nach Tillich vielmehr das, worauf die Religionsgeschichte sich zubewegt. „Aber wir dürfen die Synthese nicht nur als zukünftige Erwartung begreifen", warnt er eindringlich, „sie manifestiert sich zu allen Zeiten, sowohl in dem Kampf gegen den dämonischen Anspruch der sakramentalen Grundlage wie in dem Kampf gegen die profanisierende Entstellung der sakramentalen Grundlage durch ihre Kritiker." *Fragmentarisch* tritt sie immer wieder „in den großen Augenblicken der Religionsgeschichte" in Erscheinung. Die gesamte Religionsgeschichte ist in diesem Sinne als „Kampf für die *Religion des konkreten Geistes*" zu begreifen (EW IV, 151).

Religionsphilosophisch muß es letztlich offenbleiben, wo sich die „Religion des konkreten Geistes" in vollkommener Weise manifestiert hat. So kann Tillich in seiner Vorlesung „Philosophy of religion" von 1962 einräumen, daß sie sich möglicherweise nicht nur in Jesus Christus, sondern auch in Buddha manifestiert haben könnte, denn Buddha hat nach Tillich – ähnlich wie Jesus Christus – der Versuchung der Vergottung widerstanden (Lect. 9,1; Tonbandaufzeichnung im Privatbesitz des Vf.).

Diese Überlegungen Tillichs könnten in die Richtung eines pluralistischen Modells der Religionstheologie gedeutet werden, wie es von John Hick, Wilfred C. Smith und Paul F. Knitter proklamiert wird – um nur einige prominente Vertreter dieser Richtung zu nennen. Hier wird die normative Christologie zugunsten des Dialogs geopfert. Doch wird man Tillich mit einer solchen Klassifizierung nicht gerecht. Denn *theologisch* vertritt er eindeutig ein inklusivistisches Modell, d.h. für Tillich hat sich die „Religion des konkreten Geistes" in dem Christusereignis in vollkommener Weise manifestiert. Dies wird deutlich, wenn man sich die einschlägigen Passagen seiner *Systematischen Theologie* anschaut (vgl. ST I, 159). Demgegenüber handelt es sich bei Tillichs Ausführungen zum inneren Ziel der Religionsgeschichte, die ihren Ausgang bei einer Typologie der Religion nehmen, um religionsphilosophische Überlegungen, die die theologische Wahrheitsfrage einklammern. – Und doch sind diese religionsphilosophischen Überlegungen nicht ganz von seinem theologischen Standpunkt zu trennen, denn die folgende Stelle deutet darauf hin, daß selbst in Tillichs Normbegriff der Religion das christologische Paradox fortwirkt: „Jesus hätte nicht der Christus werden können, wenn er sich nicht als Jesus an sich als den Christus geopfert hätte. Jede Bejahung Jesu als des Christus, die nicht zugleich die Bejahung Jesu des Gekreuzigten einschließt, ist eine Form von Götzendienst. Das letzte Anliegen des Christen ist nicht Jesus, sondern der Christus in Jesus dem Gekreuzigten. Das Ereignis, das dieses Symbol geschaffen hat, liefert zugleich das Kriterium, von dem aus die Wahrheit des Christentums und die Wahrheit aller anderen Religionen beurteilt werden muß." (GW VIII, 177) So weist also nicht nur das entscheidende Wahrheitskriterium des religiösen Symbols einen letzten Bezug zum Christusereignis auf, sondern ebenso der Normbegriff der Religion.

Es ist daher keine Frage: Als Theologe ist Tillich von der Überzeugung getragen, daß die „Religion des konkreten Geistes" in Jesus Christus Wirklichkeit angenommen hat und daß das „Kreuz des Christus" dieses Telos der Religionsgeschichte in vollkommener Weise zum Ausdruck bringt (vgl. EW IV, 151). Hier ist die Wiedervereinigung der beiden grundlegenden Elemente *im Prinzip* erreicht. Auch wenn es das Christentum nach Tillich offenlassen muß, ob auch in anderen Religionen das Wesen des Christentums verwirklicht ist, so muß doch sein Anspruch, auf Verkündigung der vollkommenen Offenbarung zu beruhen, damit nicht aufgegeben werden (vgl. Dogmatik, 72). Denn es gibt hier für Tillich einen entscheidenden Unterschied: „Wenn wir nun andererseits die Möglichkeit von anderweitigen Durchbrüchen der vollkommenen Offenbarung in Betracht ziehen," schreibt er, „so ist der Unterschied der, daß die eine universal menschliche Bedeutung hat, die andere Analoga des Durchbruchs, aber nicht Vorgänge, die die Kraft haben, eine menschheitliche Offenbarungsgeschichte zu schaffen ... Es gibt für das Christentum keine Möglichkeit, in dieser Beziehung an sich zu zweifeln. Vielmehr muß es das Bewußtsein haben, in seinem Heilsweg zur Menschheitsreligion bestimmt zu sein." (Dogmatik, 74) Damit ist wohl eine „naive Absolutheit" erschüttert, aber über diese „erschütterte Absolutheit" wird nicht hinausgegangen. Der Absolutheitsanspruch ist nicht mehr die unmittelbare, selbstverständliche Bejahung dessen, was man glaubt, was man für richtig oder für wahr hält, sondern es handelt sich nun um eine durch den Widerspruch hindurchgegangene reflektierte Form, die einen gegnerischen Anspruch voraussetzt; der Absolutheitsanspruch ist so ein reflektierter Anspruch, der aus der Begegnung mit dem Entgegengesetzten oder dem anderen folgt.

Fällt Tillich damit aber nicht doch wieder hinter seinen religionsphilosophischen Ansatz zurück? Das ist sicherlich nicht der Fall, denn der religionsphilosophische Standpunkt kann nur das Prinzipielle erörtern und zu einem Normbegriff von Religion führen, der sich für den Dialog der Religionen geradezu anbietet. Der theologische Standpunkt hingegen bezieht Stellung, ja muß Stellung beziehen, da für den einzelnen Menschen immer nur *ein* Heilsweg konkret werden kann. Tillich schließt zwar andere Durchbrüche der vollkommenen Offenbarung nicht aus, relativiert diese aber dahingehend, daß er sie nur als *Analoga* bezeichnet. Sein theologischer Standpunkt ist also eindeutig inklusivistisch. Das kommt auch in der *Systematischen Theologie* zum Ausdruck, wenn er hier schreibt: „Das Christentum erhebt den Anspruch, daß die Offenbarung in Jesus als dem Christus letztgültig sei." Letztgültige Offenbarung bedeutet für Tillich „die entscheidende, erfüllende, unüberholbare Offenbarung"; religionsphilosophisch gewendet nennt er sie auch die „*normgebende* Offenbarung" (ST I, 159).

Wird mit dem pluralistischen Modell die Möglichkeit eingeräumt, daß die fortschreitende religiöse Erfahrung qualitativ – und nicht nur quantitativ – über die christliche Religion hinaustreibt, so ist klar, daß damit die Lehre von Jesus als dem Christus untergraben wird. Tillich ist sich dessen bewußt und wehrt eine solche Möglichkeit mit Entschiedenheit ab: „Mit dem Vorhandensein von mehr als einer Manifestation des göttlichen Geistes, die Letztgültigkeit beansprucht", schreibt er ausdrücklich, „würde der Begriff der Letztgültigkeit aufgehoben und die dämonische Spaltung des Bewußtseins verewigt." (ST III, 175 f.) Auch in der *Dogmatik* von 1925 heißt es bereits: „Gäbe es zwei verschiedene Durchbrüche der vollkommenen Offenbarung von gleicher Unbedingtheit des Anspruchs, so gäbe es zwei Menschheiten, so müßte man mit zwei Gemeinden rechnen, mit zwei Dogmatiken gleichen Rechtes ... Aber eine solche Zerspaltenheit der Menschheit, die nicht individuell, sondern wesensmäßig wäre, würde den einheitlichen Begriff der Menschheit und damit der Geschichte aufheben, denn der Zusammenhang verschiedener Geistwesen, die dann in der Menschheit nebeneinander wohnten, bedürfte eines andern Namens." (Dogmatik, 73)

Die Mächte, die in der Geschichte miteinander ringen, können so je nach der Fragestellung als das Heilige und das Profane oder als das Göttliche und das Dämonische bezeichnet werden. Dabei sind die beiden genannten Ziele, die vollkommene Theonomie und die Religion des konkreten Geistes, das, worauf die Geschichte in immer neuen Anläufen zugeht. Dieser Rhythmus in der Dynamik der Geschichte ist nach Tillich „der Weg, auf dem das Reich Gottes in der Geschichte wirkt" (ST III, 442).

Wenn Tillich in einem kleinen Beitrag aus dem Jahre 1930 über „Neue Formen christlicher Verwirklichung" den Begriff „evangelische Katholizität" einführt (GW XIII, 92–95) und ebenso in einem Aufsatz mit dem Titel „Ende der protestantischen Ära?" von 1937 einen „evangelischen Katholizismus" fordert (GW VII, 157), so ist hier nicht eine Verschmelzung oder Vermengung der beiden großen christlichen Konfessionen gemeint, sondern das, was in den Begriffen „Religion des konkreten Geistes“ und „Religion des Paradox“ zum Ausdruck kommen soll – angewandt auf das spezifisch Christliche. Das Katholische und das Evangelische werden auf diese Weise zu Paradigmen der beiden Grundelemente des Religiösen überhaupt und zu den beiden Elementen des Christlichen im besonderen. Das gleiche kommt auch zum Ausdruck, wenn Tillich dem Begriff des „protestantischen Prinzips“ später den der „katholischen Substanz“ gegenüberstellt (vgl. GW VIII, 21; ST III, 16). Gleichwohl bieten diese Überlegungen natürlich auch Ansatzpunkte für eine neue ökumenische Theologie.

Erste Anregungen zu diesen typologischen Überlegungen mag Tillich ohne Zweifel durch sein Schelling-Studium bekommen haben. In der 36. und 37. Vorlesung über die *Philosophie der Offenbarung*, in der Schelling von der Entwicklung des Christentums handelt, spricht er von zwei Prinzipien, die die Entwicklung der Kirche verstehbar machen: das petrinische und das paulinische Prinzip. Diese beiden Prinzipien sind zwar gegensätzlich, aber trotzdem aufeinander bezogen. Sie sollen eins werden in der Kirche des Johannes. Es ist nicht schwer, in dieser Analyse Schellings, die er durch Schriftauslegung gewonnen hat, Tillichs Typologie der Religion wiederzuerkennen: die Elemente des Sakramentalen und des Prophetischen und das Telos der Religionsgeschichte, die Religion des konkreten Geistes. Doch während diese Prinzipien für Schelling Prinzipien der christlichen Kirche sind, und hier denkt er nicht wesentlich anders als Joachim von Floris im 12. Jahrhundert, begreift Tillich sie nicht nur allgemein geistesgeschichtlich (vgl. GW IX, 39ff.; EW IV, 102ff.; ST III, 194ff.). Es handelt sich ihm zufolge vielmehr – wie auch schon bei den Begriffen Autonomie, Heteronomie und Theonomie – um eine Dynamik, die alles umfaßt – nicht zuletzt das Leben jedes einzelnen Menschen. Die dauernde Spannung von profaner und heiliger Sphäre, der ständige Kampf des „Propheten“ gegen den „Priester“ findet in jedem Gläubigen statt. Es sind diese Polaritäten, die das persönliche Glaubensleben bestimmen. Hier spricht zuletzt der Prediger und Seelsorger Tillich.

4. Das Verhältnis von Philosophie und Theologie

In seiner Autobiographie *Auf der Grenze* beschreibt Tillich im siebenten Abschnitt die Grenze von Philosophie und Theologie. Dieser Grenze kommt in seinem Leben und Denken ein ganz besonderer Stellenwert zu, und sie läßt sich auch schon rein biographisch dokumentieren: Lizentiat in Theologie, Doktorat in Philosophie, Habilitation für Theologie, Professur für Theologie in Marburg, für Philosophie in Frankfurt, schließlich für Philosophische Theologie in New York.

In diesem Zusammenhang wird oft das folgende Diktum Tillichs angeführt: „Als Theologe versuchte ich Philosoph zu bleiben und als Philosoph Theologe." (GW XII, 37) Doch wird nur allzuoft übersehen, daß dieses Wort äußerst interpretationsbedürftig ist, wehrt sich doch Tillich entschieden gegen eine vollkommene Identität von Philosophie und Theologie.

a) Die Philosophische Theologie

Als im Frühjahr 1951 der erste Band der *Systematischen Theologie* herauskam, entstand unter Tillichs New Yorker Studenten eine Kontroverse über den ontologischen Ausgangspunkt seiner Theologie. Trotz der Zuneigung, die Tillich unter den Studenten allgemein genoß, fand sich eine Gruppe, die mit seiner „griechischen" Art, Theologie zu treiben, nicht einverstanden war. Angeführt von dem Alttestamentler James Muilenburg, und in gewisser Weise von Reinhold Niebuhr unterstützt, hätten sich manche eine mehr biblische Fundierung und Ausrichtung gewünscht. „Was hat Athen mit Jerusalem zu tun?", war das Schlagwort in diesem Disput.

Emil Brunner, der sich schon zum ersten Band der *Systematischen Theologie* – teils zustimmend, teils kritisch – geäußert hatte (vgl. EW V, 331ff.), schreibt nach dem Erscheinen des zweiten Bandes in einem Brief vom 14. März 1958 an Tillich: „Was Sie uns anderen allen voraus haben, das ist Ihr eminentes philosophisches Können. Ihr Ausgangspunkt, die Ontologie, war mir bis jetzt immer fremd und verdächtig. Ich habe jetzt gesehen, daß das *auch* ein Weg ist zum Verständnis der Christusbotschaft. Ich gehe einen ganz anderen Weg, der aber nicht nur zum selben Ziel, sondern zur Übereinstimmung mit den meisten Ihrer Ausführungen über Jesus Christus und den Glauben führt. Sie kommen von einer philosophischen Fragestellung her, ich von einer theologischen, d.h. von dem, was man schon immer als Theologie bezeichnet hat. Ich glaube, es ist gut, daß es diese zwei Wege gibt, und es wird sie auch in Zukunft geben. Es ist mir noch nicht in jeder Beziehung klar, wie sich die beiden zueinander verhalten und was der Nutzen und Nachteil eines jeden ist. Aber klar ist mir das eine, daß wir aufeinander zugehen, ja, vielleicht schon ganz beieinander stehen, wenn man nur die Sprache beider zu verstehen vermag. Sie gelten als ‚schwer', weil Sie eben den philosophischen Weg gehen und von etwas ausgehen, was zweifellos der Bibel fremd ist. Das sagen Sie ja selbst, aber Sie behaupten, die Ontologie liege dem biblischen Denken zugrunde, nur sei sie unbewußt oder impliziert. Ich glaube, Sie haben damit recht. Jedenfalls so, wie Sie die Ontologie verstehen. Ich gehe von einem Punkt aus, der dem biblischen Denken direkter entspricht. Daß auch ich philosophischer Begriffe nicht entbehren kann, ist klar. Ich könnte nicht eine solch klare und zielsichere Methodik befolgen, wie Sie es tun. Es ist mir dabei noch immer ein wenig unheimlich, aber, was Sie damit erreichen, spricht sehr für Ihre Methodik." (EW V, 342f.)

Das Schlagwort, das die Studenten in der Diskussion um Tillichs *Systematische Theologie* im Munde führten, geht bekanntlich auf Tertullian zurück: „Was hat Athen mit Jerusalem zu tun? Was die Akademie mit der Kirche? Was die Häretiker mit den Christen? ... Wir brauchen keine Neugierde mehr nach Jesus Christus noch bedürfen wir der Wissenschaft nach dem Evangelium. Da wir glauben, begehren wir nichts mehr über das Glauben hinaus". (De praescriptione haereticorum, 7)

Ähnlich hat es auch schon Paulus (Kol. 2,8) formuliert – und später hat sich Luther hierauf berufen.

Dieses metaphysikkritische Moment der Theologie hat nun durchaus seine Berechtigung, wenn es dazu dient, für die Unverwechselbarkeit der Theologie mit der Metaphysik zu sorgen und von dieser Seite her einer Identitätskrise der Theologie vorzubeugen. Doch wird es meist in einem weit grundsätzlicheren Sinne verstanden, den Schopenhauer folgendermaßen auf den Punkt gebracht hat: „Wie sollte überdies eine Religion noch des Suffragiums einer Philosophie bedürfen! Sie hat ja alles auf ihrer Seite: Offenbarung, Urkunden, Wunder, Prophezeiungen, Schutz der Regierung, den höchsten Rang, wie er der Wahrheit gebührt, Bestimmung und Verehrung aller, tausend Tempel, in denen sie verkündet und geübt wird, geschworene Priesterscharen und, was mehr als alles ist, das unschätzbare Vorrecht, ihre Lehren dem zarten Kindesalter einprägen zu dürfen, wodurch sie fast zu angeborenen Ideen werden. Um bei solchem Reichtum an Mitteln noch die Beistimmung *armseliger Philosophen* zu verlangen, müßte sie habsüchtiger oder, um den Widerspruch derselben zu besorgen, furchtsamer sein, als mit einem guten Gewissen vereinbar scheint.“[16]

Mit dieser Polemik trifft Schopenhauer den Kern der antimetaphysischen Position gewisser Theologen und Theologien: Wer im Besitz der Wahrheit ist, braucht sich nicht mehr um die Vernunft zu scheren, denn diese, so hat es ja schon Kant beklagt, liegt sowieso immer mit sich selbst im Streit. Der Geistliche einer fundamentalistischen Richtung, der in diesem Sinne sagen würde: „Warum brauchen wir Philosophie, wenn wir doch alle Wahrheit in der Offenbarung besitzen?“, vergißt nach Tillich allerdings, daß er durch eine lange Geschichte philosophischen Denkens bestimmt ist, wenn er Worte wie „Wahrheit“ oder „Offenbarung“ gebraucht. Er verkennt die Tatsache, daß wir der Philosophie bzw. der Metaphysik gar nicht entrinnen können, „weil die Wege, auf denen wir ihr entrinnen wollen, gebaut und gepflastert sind von der Philosophie selbst“ (GW V, 143). „Der Versuch des Biblizismus, nichtbiblische ontologische Ausdrücke zu vermeiden", schreibt Tillich in seiner *Systematischen Theologie*, „ist ebenso zum Scheitern verurteilt wie entsprechende philosophische Versuche. Die Bibel selbst benutzt immer Kategorien und Begriffe, die die Struktur der Erfahrung beschreiben. Auf jeder Seite eines jeden religiösen oder theologischen Textes erscheinen diese Begriffe: Zeit, Raum, Ursache, Ding, Subjekt, Natur, Bewegung, Freiheit, Notwendigkeit, Leben, Wert, Erkenntnis, Erfahrung, Sein und Nichtsein. Der Biblizismus kann versuchen, die landläufige Bedeutung dieser Begriffe zu wahren, dann hört er auf, Theologie zu sein. Er muß dann die Tatsache umgehen, daß die philosophische Bedeutung dieser Kategorien die Sprache des täglichen Lebens seit vielen Jahrhunderten beeinflußt hat. Es ist überraschend, wie naiv theologische Biblizisten einen Ausdruck wie ‚Geschichte' gebrauchen, wenn sie vom Christentum als einer geschichtlichen Religion oder von Gott als dem ‚Herrn der Geschichte' sprechen. Sie vergessen, daß die Bedeutung, die sie mit dem Wort Geschichte verbinden, durch Jahrtausende der Geschichtsschreibung und der Geschichtsphilosophie geprägt wurde. Sie vergessen, daß geschichtliches Sein eine Weise des Seins zusätzlich zu anderem Sein ist, und daß, um es z.B. von dem Wort ‚Natur' zu unterscheiden, eine allgemeine Kenntnis von der Struktur des Seins vorausgesetzt wird. Sie vergessen, daß das Problem der Geschichte mit den Problemen von Zeit, Freiheit, Zufall, Zweck usw. verknüpft ist, und daß jeder dieser Begriffe eine Entwicklung ähnlich der des Geschichtsbegriffes durchgemacht hat." (ST I, 29f.)

In dem Vortrag „Philosophie und Theologie", den Tillich anläßlich seiner Berufung auf den Lehrstuhl für „Philosophische Theologie" am Union Theological Seminary in New York im Jahre 1940 verfaßt hat, greift er genau dieses Problem auf, wenn er zwischen zwei Typen der Theologie unterscheidet: einer philosophischen und einer kerygmatischen. Wobei hier der Begriff der Philosophischen Theologie nicht mit natürlicher Theologie oder Philosophischer Gotteslehre gleichgesetzt werden darf. Unter Philosophischer Theologie versteht

Tillich vielmehr eine Theologie, die, wenngleich sie auf dem *kerygma*, der „Botschaft" basiert, den Gehalt des *kerygma* in engem wechselseitigem Verhältnis zur Philosophie darlegt. Eine kerygmatische Theologie dagegen versucht, den Gehalt der christlichen Botschaft in geordneter und systematischer Weise wiederzugeben, ohne auf die Philosophie Bezug zu nehmen (vgl. GW V, 110f.). Die kerygmatische und die philosophische Theologie sind jedoch aufeinander angewiesen; sie sind in dem Augenblick im Unrecht, in dem sie sich gegenseitig ausschließen. Denn „niemals existierte eine kerygmatische Theologie, die nicht philosophische Begriffe und Methoden verwendete. Und niemals existierte eine philosophische Theologie, sofern sie den Namen ‚Theologie' verdiente, die nicht den Gehalt der Botschaft zu erklären versuchte. Deshalb ist das theologische Ideal die vollkommene Einheit beider Typen, ein Ideal, das nur durch die größten Theologen erreicht wurde und selbst von ihnen nur annäherungsweise." (GW V, 111) Der radikalste Versuch, eine rein kerygmatische Theologie zu schaffen, wurde in unserer Zeit von Karl Barth unternommen. Aber auch Barth kommt ohne ontologische Begrifflichkeit nicht aus. Keine Theologie kommt ohne sie aus, sonst wäre sie eben keine „Theo-logie" mehr. Denn schon das Wort „Theo-logie" weist in seiner ersten Silbe auf das Kerygma hin, in dem Gott sich offenbart. Und die zweite Silbe will die Bedingungen der Möglichkeit der menschlichen Vernunft zum Ausdruck bringen, diese Botschaft zu empfangen und auszulegen (vgl. GW V, 111).

Philosophische Begriffe sind für die Theologie absolut notwendig und unabdingbar. „Wenn man z.B. die Frage stellt: ‚Ist Gott?', dann steht die ganze Philosophiegeschichte im Hintergrund, die sich immer zu verstehen bemüht hat, was dieses kleine Wort ‚ist' bedeutet, oder anders ausgedrückt, was ‚Sein' bedeutet ... Eine Antwort auf diese Frage setzt eine ganze Philosophie voraus, die wiederum genaue Kenntnis der Philosophiegeschichte und die Fähigkeit zu philosophischem Denken voraussetzt. Dringt das Denken immer tiefer vor, so stößt es auf das Problem von Sein und Nichtsein. Kein Theologe kann diesem Problem ausweichen. Wenn der Theologe sagen würde, ‚Gott ist ein Seiendes', dann wäre die logische Konsequenz dieses Satzes, daß es noch etwas über Gott gäbe, nämlich das Sein selbst, die Macht des Seins, das, was Gott zu einem Seienden macht. Aber das widerspricht dem unbedingten Charakter des Göttlichen, es widerspricht der Heiligkeit Gottes. Daraus folgt, daß die Theologie sich auf eine Seinslehre gründen muß, die auch Nichtsein einschließt. Auch der ‚antiphilosophische Theologe' kann einer solchen Seinslehre nicht entgehen, denn auch er fragt – wenn auch versteckt – nach Sein und Nichtsein, wenn er die Frage stellt: ‚Was bedeutet es, daß Gott ist?' oder ‚Warum ist überhaupt etwas und nicht vielmehr nichts?'" (GW XIII, 483f.) Tillich bringt es auf den Punkt: „Jeder Theologe ist ein versteckter Philosoph, wenn auch ein schlechter Philosoph, weil er sich niemals bemüht, die von ihm gebrauchten philosophischen Begriffe einer strengen philosophischen Kritik zu unterziehen." (GW XIII, 488) Die Philosophie hat für die Theologie eine wesentliche Bedeutung. Das war zwar immer so, nur geschah es oft „unter der Hand", also implizit, unbewußt oder gar unter ausdrücklicher Distanzierung von der Philosophie.

Es wäre allerdings falsch zu meinen, philosophische Begriffe und Erörterungen seien für das unmittelbare Glaubensleben notwendig. „Es gibt durchaus fromme Menschen, die niemals etwas von Philosophie verstanden haben. Aber das philosophische Rüstzeug ist in dem Augenblick unentbehrlich, in dem die religiösen Symbole zum Gegenstand der kritischen Untersuchung und der Interpretation werden, d.h. in dem Augenblick, in dem theologisches Denken einsetzt." (GW XIII, 488) Das bedeutet, man darf ruhig auf philosophische Begriffe verzichten; aber dann sollte man, wie Tillich es einmal in einer Diskussion nach einem Vortrag in Tübingen 1963 formuliert hat, kein Theologe werden, sondern ein einfacher Christ bleiben. Wird die Philosophie von der Theologie ausgeschlossen, so bleibt der Theologie nur noch, sich entweder in einen exegetischen Positivismus hineinzubegeben oder sich jeder beliebigen Begrifflichkeit auszuliefern, die sich ihr anbietet.

Metaphysik ist für die Theologie unumgänglich, da eine unauflösbare Beziehungseinheit von Wissen und Glauben, von Glauben und Denken besteht. Glaube und Vernunft treffen sich notwendig in der Wahrheit. Wie Tillich auf dieser Grundlage den Zusammenhang von Philosophie und Theologie genauer bestimmt, wird sofort ersichtlich, wenn wir uns an das erinnern, was wir zum Begriff der „halben Entmythologisierung" gesagt haben. Die Theologie hat sich demnach philosophischer Begriffe und Kategorien zu bedienen, um mit ihnen die christliche Botschaft für unsere Zeit neu zum Ausdruck zu bringen. Damit bestimmt Tillich die Bedeutung der Philosophie für die Theologie rein „binnentheologisch". Das kommt auch schon darin zum Ausdruck, daß er den Begriff der Ontologie dem der Metaphysik vorzieht. Auch wenn er selbst dies rein formal begründet – wonach das „*meta*" zu einer falschen, eben räumlichen Vorstellung der metaphysischen Entitäten verleite –, so stehen dahinter doch eindeutig sachliche Interessen. Die Metaphysik hat sich von ihrem Ursprung her immer als Seins- *und* Gotteslehre verstanden – vor allem bei Aristoteles. Doch reduziert Tillich die Metaphysik auf die Ontologie, die Seinslehre. Das aber ist für die Theologie relativ unproblematisch, da die Ontologie keine wirkliche Konkurrenz darstellt. Theologie kann, ja muß die Metaphysik als Seinslehre „gebrauchen", und das geschieht eben rein binnentheologisch. Damit büßt aber die Philosophie ihr Eigenrecht gegenüber der Theologie ein.

Wenn es darum sinnvoll ist, von einer Magd- oder Dienstfunktion der Philosophie für die Theologie zu sprechen, dann betrifft das die Metaphysik als Seinslehre, also die binnentheologische Bedeutung der Philosophie für die Theologie. In diesem Sinne ist die Ontologie für Tillich nichts anderes als „ancilla theologiae".

Das zu Anfang genannte Diktum: „Als Theologe versuchte ich Philosoph zu bleiben und als Philosoph Theologe" (GW XII, 37), muß also wohl so gelesen werden, daß kein Theologe der philosophischen Begriffe entraten kann (vgl. GW XIII, 487f.). Das aber bedeutet: Im Grunde genommen hat bei Tillich nie ein *wirklicher* Wechsel zwischen Theologie und Philosophie stattgefunden. Er bekennt in diesem Sinne auch ausdrücklich in einem Brief an Eugen Rosenstock-Huessy aus dem Jahre 1935: „Ich bin mir eines solchen Wechsels so wenig bewußt, wie es Thomas gewesen sein mag, als er nach den Aristoteles-Kommentaren und der *Summa contra gentiles* die *Summa theologica* schrieb. Und auch die Tatsache des mehrfachen, mindestens dreifachen Fakultätswechsels beweist keinen realen Wechsel." (EW VI, 275) So hat sich Tillich selbst in Frankfurt „als protestantischer Theologe in philosophischem Material" gefühlt und dem in jeder Diskussion auch deutlich Ausdruck gegeben (EW VI, 276).

b) Die Korrelation von philosophischen Fragen und theologischen Antworten

Hinter dem Begriff der Korrelation, der durch Tillich zu einem theologischen Terminus technicus avanciert ist, steht eine ganz einfache Erfahrung. „Ich war Kandidat der Theologie und arbeitete in einer Gemeinde im Norden Berlins", berichtet uns Tillich. „Da machte ich die folgende Erfahrung: Berlin-N[ord] besteht meistens aus Arbeiterbevölkerung, und ich hatte die 12- und 13jährigen Jungen, ungefähr 20 in der Klasse, zu unterrichten. Und als ich anfing, mit ihnen zu reden, meldeten sie sich immerzu, und ich rief einen auf, und er antwortete: ‚Der Glaube'. Ich rief den nächsten auf, als wir über ein ganz anderes Problem sprachen, wieder kam die Antwort: ‚Glaube', und so ging es bis 20. Dann entschloß ich mich, ein Verbot ausgehen zu lassen, das Wort Glaube in den nächsten Monaten in diesem Raum nicht mehr zu gebrauchen, und ich wünschte, statt der Arbeiterjungen wäre eine Reihe von Pfarrern dagewesen, und sie hätten sich wahrscheinlich in einem Gespräch ein bißchen raffinierter, aber nicht viel anders ausgedrückt und hätten alle 20, statt auf die theologischen Sachprobleme einzugehen, das Wort ‚Glaube' geantwortet." (EW V, 61)

In einem Beitrag mit dem Titel „Theologie der Erziehung" aus dem Jahre 1957 schreibt Tillich: „Wenn die religiöse Erziehung von Gott, dem Christus und der Kirche, von Sünde, Erlösung und dem Reich Gottes spricht, bietet sie etwas dar, das nicht aufgenommen werden kann von denen, die die Fragen nicht gestellt haben, auf die diese Worte die Antwort sind. Wie Steine wirft man ihnen solche Worte an den Kopf, von denen sie sich früher oder später abwenden müssen." (GW IX, 243) – Und wie Tillichs frühe Erfahrung zeigt, werden diese Worte wiederum wie Steine als Antworten der Arbeiterjungen zurückgeworfen. So kann religiöse Erziehung nicht fruchtbar sein. Wie aber soll sie vorgehen? Der religiöse Erzieher muß Tillich zufolge nach den existentiell wichtigen Fragen suchen. „Er muß versuchen, diese Fragen, die unbewußt im Schüler leben, ihm zum Bewußtsein zu bringen. Dann erst kann der Erzieher dem Schüler zeigen, daß die traditionellen Symbole in Mythos und Kultus ursprünglich als Antworten auf die in der menschlichen Existenz enthaltenen Fragen gemeint waren. Die Korrelation von Fragen und Antworten gibt den Antworten ihren Sinn und erschließt dem Schüler die Bedeutung der Symbole, in die ihn die religiöse Erziehung eingeweiht hat." (GW IX, 243)

Diese Methode, die Tillich die „Methode der Korrelation" nennt (vgl. ST I, 73), ist aber nicht nur der religiösen Erziehung angemessen, sondern sie ist darüber hinaus laut Tillich die einzig sinnvolle Methode der Theologie überhaupt. Denn die christliche Botschaft darf nicht als ein Fremdkörper aus einer anderen Welt verstanden werden, der in die menschliche Situation einfällt, wie das Tillich zufolge in der Theologie Karl Barths der Fall ist. Ohne eine Vermittlung zur menschlichen Situation kann der Mensch diese Wahrheit nicht empfangen, kann er Antworten auf Fragen, die er niemals gestellt hat, nicht verstehen. Die im Offenbarungsereignis liegenden Antworten sind immer nur sinnvoll, sofern sie mit existentiellen Fragen in Korrelation stehen. „Nur wer die Erschütterung der Vergänglichkeit erfahren hat, die Angst, in der er seiner Endlichkeit gewahr wurde, die Drohung des Nichtseins, kann verstehen, was der Gottesgedanke meint. Nur wer die tragische Zweideutigkeit unserer geschichtlichen Existenz erfahren und den

Sinn des Daseins völlig in Frage gestellt hat, kann begreifen, was das Symbol des Reiches Gottes aussagen will." (ST I, 76) Dagegen wird eine Antwort auf eine Frage, die wir gar nicht gestellt haben, als „töricht" empfunden, als „unverständliche Wortkombination", aber nicht als Offenbarung (ST II, 20). – Das führt uns das Beispiel der Arbeiterjungen plastisch vor Augen.

Tillich meint nicht, daß er mit der Methode der Korrelation eine neue Methode eingeführt habe. Wie er selbst sagt, hat er nur den Sinn der apologetischen Theologie herauszuarbeiten versucht (vgl. ST II, 22). Und apologetische Theologie meint hier nichts anderes als „antwortende Theologie" (ST I, 12).

Den *Begriff* ‚Korrelation' hat Tillich der Phänomenologie Edmund Husserls und der Religionsphilosophie des Neukantianers Hermann Cohen entlehnt. Während Husserl den Begriff der Korrelation im rein bewußtseinstheoretischen Sinne verwendet – es besteht ihm zufolge eine Korrelation von Bewußtseinsakt und Bewußtseinsinhalt[17] (Tillich greift diesen Aspekt in GW V, 189 auf) –, erhält der Begriff der Korrelation im Werk Cohens eine religionsphilosophische Färbung: Cohen spricht von Korrelation in bezug auf das Verhältnis von Gott und Mensch.[18] Es ist vornehmlich dieser Aspekt der Korrelation, für den sich Tillich interessiert. Im ersten Band seiner *Systematischen Theologie* bestimmt er den Begriff der Korrelation folgendermaßen: „Er kann die Entsprechung verschiedener Reihen von Daten bedeuten wie etwa bei statistischen Tabellen; er kann den logischen Zusammenhang von Begriffen bezeichnen wie etwa bei polaren Beziehungen; und er kann die reale gegenseitige Abhängigkeit von Dingen oder Ereignissen in Strukturganzheiten meinen." (ST I, 74) In der Theologie findet das Wort Korrelation in allen drei Bedeutungen Verwendung: „Es gibt Korrelation in dem Sinne der Entsprechung zwischen religiösen Symbolen und dem, was durch sie symbolisiert wird. Es gibt Korrelation im logischen Sinne zwischen Begriffen, die sich auf menschliche Bereiche, und solchen, die sich auf Göttliches beziehen. Und es besteht eine reale Korrelation zwischen dem Zustand des religiösen Ergriffenseins des Menschen und dem, was ihn ergreift." (ST I, 74f.) Tillich selbst verwendet den Begriff der Korrelation in all diesen verschiedenen Bedeutungen. So spricht er in der *Systematischen Theologie* u.a. von einer Korrelation von Gott und Welt, von Endlichkeit und Unendlichkeit, von Selbst und Welt, von Subjekt und Objekt, von Botschaft und Situation, von Ekstase und Wunder, von Schock und Stigma, von Vernunft und Offenbarung, von Prediger und Hörer.

Eine besondere Bedeutung kommt dem Begriff der Offenbarungskorrelation und der Korrelation von philosophischen Fragen und theologischen Antworten zu. Mit dem Begriff der Offenbarungskorrelation schließt Tillich jede unexistentielle Auffassung der Offenbarung aus, die sie auf eine theoretische Information reduziert. Es geht bei der Offenbarung nicht um eine „Information über ‚göttliche Dinge'" (ST I, 172), sondern um eine „existentielle Korrelation zwischen dem Offenbarungsereignis und denen, die es empfangen sollen". Es geht um „ein schöpferisches und verwandelndes Teilhaben jedes Gläubigen an der Offenbarungskorrelation" (ST I, 173). Bei der Korrelation von philosophischen Fragen und theologischen Antworten handelt es sich um das, was Tillich auch die *Methode der Korrelation* nennt. Hiernach ist es die Aufgabe der systematischen Theologie, eine Analyse der menschlichen Situation zu bieten, aus der die existentiellen Fragen hervorgehen, auf die dann die Symbole der christlichen Botschaft die Antworten geben (vgl. ST I, 76).

Tillichs *Systematische Theologie* ist nach dieser Methode der Korrelation aufgebaut. In allen fünf Teilen wird zunächst die existentielle Situation beschrieben, aus der dann die Fragen entwickelt werden, auf die die christliche Botschaft die Antwort gibt. Bei der Analyse der menschlichen Situation greift der Theologe auf das Material zurück, das die menschliche Selbstinterpretation auf allen Kulturgebieten verfügbar gemacht hat. Hierzu gehören Philosophie, Dichtkunst, dramatische und epische Literatur sowie Psychotherapie und Soziologie. Er ordnet diesen Wissensstoff in bezug auf die von der christlichen Botschaft gegebene Antwort. Dies geschieht, auch wenn es von einem Theologen durchgeführt wird, Tillich zufolge in Form einer rein philosophischen Analyse. „Der Unterschied zwischen einem Philosophen, der kein Theologe ist und einem Theologen, der bei der Existenzanalyse als Philosoph arbeitet“, schreibt Tillich, „besteht nur darin, daß der erste eine Analyse zu geben versucht, die Teil einer größeren philosophischen Arbeit sein soll, während der zweite die Ergebnisse seiner Analyse mit den aus dem christlichen Glauben abgeleiteten theologischen Begriffen in Beziehung zu setzen versucht. Dadurch wird aber die philosophische Arbeit des Theologen keineswegs heteronom.“ (ST I, 78) Ob die Philosophie hierbei wirklich ihre Autonomie bewahrt, scheint jedoch mehr als fraglich. Aber lassen wir diesen Punkt hier noch offen.

Im zweiten Band der *Systematischen Theologie* präzisiert Tillich die Methode der Korrelation, wenn er hier von einer „Einheit von *Abhängigkeit* und *Unabhängigkeit* zwischen existentiellen Fragen und theologischen Antworten“ spricht (ST II, 19). Er führt dazu aus: „Die gegenseitige *Unabhängigkeit* von Frage und Antwort bedeutet, daß es unmöglich ist, die Frage von der Antwort und die Antwort von der Frage abzuleiten. Die existentielle Frage, nämlich der Mensch in den Konflikten seiner existentiellen Situation, ist nicht die Quelle der Offenbarungsantwort, wie sie durch die Theologie formuliert wird. Man kann die göttliche Selbstmanifestation nicht aus einer Analyse der menschlichen Situation ableiten. Gott spricht in die menschliche Situation hinein – ablehnend und bejahend.“ (ST II, 19f.) Die gegenseitige *Abhängigkeit* von Frage und Antwort sieht Tillich darin, daß die Frage schon immer auf die Antwort ausgerichtet ist (vgl. ST II, 22). Damit stellt sich aber das folgende Problem: Ist die Frage wirklich noch eine echte Frage, wenn sie eine ganz bestimmte Antwort intendiert? Daß die Antwort bei Tillich letztlich doch einen Vorrang vor der Frage zu haben scheint, wird besonders innerhalb der Christologie deutlich. Denn hier kommt die Existenzphilosophie nicht *als solche* zum Zuge, sondern als besondere Lesart des biblischen Zeugnisses von Schöpfung und Fall. Es ist von daher fraglich, ob zwischen den existentiellen Fragen und den theologischen Antworten wirklich *die* gegenseitige Unabhängigkeit besteht, die Tillich behauptet. „Die Frage erfährt also ihre Verdeutlichung und Tiefenschärfe nicht oder nicht nur aus Problembeständen menschlicher Wirklichkeit, wie das systematische Programm es will", schreibt Hermann Fischer kritisch, „sondern erscheint schon in einem substantiell-theologischen Interpretationsrahmen."[19] Edward Schillebeeckx unterzieht Tillichs Methode der Korrelation einer noch grundsätzlicheren Kritik, wenn er in ihr sprachanalytisch einen Kategorienfehler sieht. Ihm zufolge ist die menschliche Frage (nach Sinn) vom Menschen selbst zu beantworten. Erst an diese Antwort – Erfahrung von Sinn trotz allen Un-Sinns – hat das Evangelium anzuknüpfen.[20]

Die Methode der Korrelation stellt für Tillich den Versuch dar, den Gegensatz von Naturalismus und Supranaturalismus zu überwinden. Korrelation bedeutet in diesem Sinne „weder Synthese noch Diastase, weder Identifikation noch Trennung von Göttlichem und Menschlichem" (EW I, 306). Recht hat der Supranaturalismus gemäß Tillich mit der Behauptung, „daß der Mensch Gott nicht aus eigener Kraft erreichen kann", unrecht hingegen, wenn er meint, der Mensch könne eine Antwort verstehen, „die nicht Antwort auf eine Frage ist, die wir gefragt haben" (ST II, 20). – Unzweifelhaft hat Tillich bei dieser Kritik Karl Barth im Visier, den er als seinen gefährlichsten Gegner ansieht. Er betont entgegen dieser Auffassung, daß dem Naturalismus zuzustimmen ist, wenn er die existentielle Frage als eine *menschliche* Frage begreift. Doch liegt für ihn in genau diesem Punkt zugleich auch die Grenze, die „begrenzte Berechtigung" der „natürlichen Theologie": „Natürliche Theologie ist sinnvoll, soweit sie eine Analyse der menschlichen Situation gibt und aus ihr die Frage nach Gott entwickelt ... Der Wert der Gottesbeweise reicht genauso weit wie ihre Analyse der menschlichen Situation, aber nicht darüber hinaus. Denn Gott wird offenbar nur durch Gott." (ST II, 20)

Mit dieser Position wird Tillich dem Anliegen der natürlichen Theologie aber nicht gerecht. Wenn er glaubt, die Methode der Korrelation ersetze die angeblich „in sich widersprüchliche Frage“ nach der „Existenz Gottes“ durch eine „höchst sinnvolle Frage“ (EW IV, 34), so täuscht das über das eigentliche Problem, das hier im Hintergrund steht, hinweg. Denn die natürliche Theologie weiß auch, daß der Begriff der Existenz nicht einfach auf Gott übertragen werden darf. Das heißt, mit dem Hinweis darauf, daß ‚Existenz‘ in bezug auf Gott nur symbolisch verwendet werden dürfe, ist das eigentliche Sachproblem noch gar nicht berührt. Dieses besteht ja schlicht und einfach in der Frage, ob es einen *philosophischen* Weg zu Gott gibt, wobei es sich hierbei nur um einen rein denkerischen Weg zu Gott handelt, der noch kein Gottesverhältnis begründet und auch nicht unbedingt mit den sogenannten Gottesbeweisen zusammenfallen muß. Wenn z.B. Max Scheler vom religiösen Akt oder Karl Jaspers vom Begriff der Freiheit her philosophisch zu Gott zu gelangen suchen, so ist das selbstverständlich auch natürliche Theologie; was sollte es denn sonst sein? Wobei natürliche Theologie nicht mit der sogenannten natürlichen Religion identifiziert werden darf. Sachlich geht es hier um zwei verschiedene Dinge, wenn diese auch historisch oft ineinanderliegen mögen. Und Tillich unterscheidet hier sicherlich nicht genügend.

Allerdings scheint Tillich an anderer Stelle selbst zu spüren, daß sein Einwand mit dem Existenzbegriff eigentlich an der Sache vorbeigeht, wenn er erklärt, daß mit dem Begriff der ‚Existenz‘ ja eigentlich die ‚Realität‘, ‚Gültigkeit‘ und ‚Wahrheit‘ der Gottesidee gemeint sei, was aber letztlich nichts an seinem grundsätzlich negativen Ergebnis ändert: „Beweisen wollen, daß Gott existiert, heißt – ihn leugnen.“ (ST I, 239) Und doch sind sämtliche Argumente, die Tillich zur weiteren Begründung dieser Behauptung liefert, nicht stichhaltig. So ist sein Argument, im kosmologischen Gottesbeweis werde Gott zum ersten Glied der Reihe degradiert, nicht zutreffend (vgl. ST I, 239 f.). Aber er ist auch selbst nicht wirklich von diesem Argument überzeugt, gesteht er doch an anderer Stelle zu, daß

Gott hier *nicht* als ein Glied in der Kette erscheine (vgl. EW I, 202). Ähnlich verhält es sich bei seinem Einwand gegen den Begriff einer notwendigen Substanz (vgl. ST I, 243 i.V. mit EW I, 202).

Es ist darum zu vermuten, daß hinter Tillichs ablehnender Haltung der natürlichen Theologie gegenüber letztlich andere, unausgesprochene Voraussetzungen stehen, die es offenzulegen gilt. Wir haben die Engführung der natürlichen Theologie auf die sogenannte Gottesbeweisproblematik schon angedeutet. Als weiterer Punkt wäre hier zu nennen: Tillich folgt in der Frage der natürlichen Theologie *unkritisch* der Kantischen Position. Aber letztlich stehen hier gleichwohl weniger philosophische als vielmehr theologische Voraussetzungen im Hintergrund, die mit Begriffen wie ‚sola fide', ‚entfremdete Vernunft' und ‚Rechtfertigungsprinzip' ausgedrückt werden können: „Nicht nur unser Handeln, sondern auch unser Denken steht unter dem göttlichen ‚Nein'." (GW XII, 33) Der Rechtfertigungsgedanke begrenzt nach Tillich die „philosophische Möglichkeit" (GW XII, 34) und damit wohl auch jede Form von natürlicher Theologie, selbst die, die nicht auf der Basis der Gottesbeweise zu Gott gelangen möchte. Tillich wird aber so den philosophischen Denkbemühungen um den Gottesgedanken nicht wirklich gerecht.

Wenn Tillich in der *Systematischen Theologie* die Beweise für die Existenz Gottes nur noch als „Ausdruck der *Frage* nach Gott" (ST I, 240) gelten lassen will, die in der menschlichen Existenz beschlossen liegt, so ist das eben die Interpretation eines bestimmten Theologen – und nichts weiter. Zu Recht hat man von dieser angeblichen Lösung auf philosophischer Seite keinerlei Notiz genommen. Bedenklich wird es aber, wenn nicht wenige Theologen meinen, daß Tillich hier die wohl bedeutendste Frage von mehr als 2000 Jahren philosophischer Denkbemühungen in einem Handstreich geradezu genial gelöst habe.

Heinz Zahrnt bemerkt in diesem Zusammenhang treffend, daß der Protest der Philosophen, Tillich verwandle die Philosophie letztlich in Theologie, berechtigter sei als die Klage der

Theologen, er verkehre die Theologie in Philosophie. Zwar umfassen sich Philosophie und Theologie nach Tillichs eigenen Worten wechselseitig, aber es bleibt dabei: „Die Theologie hat die kräftigeren Arme."[21]

Und doch darf bei aller berechtigten Kritik nicht übersehen werden, daß es Tillich mit Hilfe der Methode der Korrelation gelungen ist, dem modernen Menschen einen neuen Zugang zur christlichen Botschaft zu ermöglichen. In diesem Sinne haben viele bekannt, daß sie ohne Tillich nicht hätten Theologe werden können.

5. Die Zweideutigkeit der menschlichen Situation

Mit der „Theonomie" und der „Religion des konkreten Geistes" hat Tillich zwei innere Ziele der Religion aufgewiesen. Das eine betrifft das Verhältnis von Religion und Kultur, das andere das Verhältnis der Religionen untereinander. Aber Tillich ist nicht nur ein kühner Visionär, sondern immer auch ein nüchterner Realist. Das heißt, er weiß, daß Mensch und Welt nicht so sind, wie sie sein sollen, daß sie vielmehr tragisch von ihrem wahren Wesen entfremdet sind. Und Entfremdung heißt für Tillich: Entfremdung von Gott, dem Nächsten und sich selbst (vgl. ST II, 54 f.).

Diese Entfremdung ist zwar in Jesus dem Christus prinzipiell überwunden, denn das „Neue Sein" steht „jenseits von Essenz und Existenz", weshalb Tillich es auch als „heilendes Sein" bezeichnet (GW XIII, 487). Dennoch bleiben wir zugleich auch verstrickt in die tragische Situation aller Weltwirklichkeit, insofern Teilhabe an diesem „Neuen Sein" immer „Identität *und* Differenz" bedeutet. Wenn auch das Reich Gottes fragmentarisch in unsere Wirklichkeit einbricht, so ist es doch auf Erden nicht vollkommen zu realisieren. Gutes und unbestreitbar Schlechtes sind hier stets miteinander vermischt. „In jedem Lebensprozeß finden wir beide Elemente, wir können niemals sagen, daß etwas unzweideutig gut oder unzweideutig schlecht ist. Sondern überall, in jedem

Lebensprozeß sind diese zwei Elemente gegenwärtig." (GW XIII, 482) Dies wird Tillich zufolge nirgends so deutlich wie im Problem der Macht und in der Ambivalenz des Fortschritts.

a) Das Problem der Macht

Tillich geht das Wesen der Macht nicht so sehr psychologisch, soziologisch oder phänomenologisch an, sondern ontologisch: In diesem Sinne versteht er Sein als Seinsmächtigkeit oder die Macht zu sein. Jedes Ding hat eine bestimmte Seinsmächtigkeit. Diese Seinsmächtigkeit ist die Kraft, die den Widerstand des Nichtseins überwindet, wobei hier unter Nichtsein nicht das undialektische Nichtsein im Sinne des Parmenideischen *ouk on*, also das reine Nichts, sondern das dialektische Nichtsein im Sinne des Platonischen *me on* gemeint ist, das eine Beziehung zum Sein aufweist.

Alles endliche Sein ist bedroht vom Nichtsein. Allein das Sein-Selbst, Gott, ist von dieser Bedrohung ausgenommen. Alles aber, was am Sein-Selbst teilhat, ist gemischt mit Nichtsein, d.h. es ist endlich. Wir erfahren dieses Nichtsein in der Bedrohung des Seins. Seinsmächtigkeit ist in diesem Sinne die Möglichkeit, Nichtsein in sich aufzunehmen und zu überwinden. „Alles Seiende bejaht sein eigenes Sein ... Jedes Wesen wehrt sich gegen die Verneinung seiner selbst. Die Selbstbejahung eines Wesens entspricht der in ihm verkörperten Seinsmächtigkeit." (GW XI, 168) Ein Seiendes ist daher um so seinsmächtiger, je mehr Nichtsein es tragen und überwinden kann. Im Menschen ist die Seinsmächtigkeit größer als im Tier, aber natürlich ist sie nicht gleich stark bei allen Menschen. Tillich gibt hierzu ein anschauliches Beispiel: „Der Neurotiker ist dadurch charakterisiert, daß er nur wenig Nichtsein in sich einschließen kann; vor der Gefahr des Nichtseins flieht er in seine kleine, enge Burg. Der Durchschnittsmensch kann ein begrenztes Maß von Nichtsein in sich tragen, der schöpferische Mensch ein großes und Gott, symbolisch gesprochen, ein unendliches Maß." (GW IX, 209)

Die Aussage, daß jedes Ding eine bestimmte Mächtigkeit hat, kommt somit Tillich zufolge nie zu der Aussage, daß dieses Ding „ist", hinzu. Es ist nicht so, daß wir zuerst sagen könnten: „Dieses Ding ist", sodann: „Dieses Ding ist mächtig"; sondern es ist vielmehr so, daß Sein immer schon und von allem Anfang an Seinsmächtigkeit impliziert. Der Begriff der Macht hat „ontologische Würde" (GW XI, 156). Sein und Macht sind für Tillich austauschbare Begriffe.

Während Macht im Sinne der Seinsmächtigkeit jedem Seienden zukommt, begegnet sie uns im eigentlichen Sinne aber erst im Menschen. Denn erst in der Dimension der Freiheit wird Seinsmächtigkeit zur Macht. Gegenüber allem untergeistigen Sein sind es hier zwei Momente, die hinzukommen: zum einen die Selbstmächtigkeit, zum anderen die Anerkanntheit. Macht ist somit Mächtigkeit auf der Ebene des gesellschaftlichen Daseins. Aber auch hier ist es wie im Sein überhaupt: Die Macht kommt nicht zum sozialen Sein hinzu, sondern ist von Anfang an mit diesem gegeben. Unser geschichtliches Sein und unsere Macht sind ein und dasselbe (vgl. GW IX, 176).

In der Gesellschaft aber ist es nicht so wie in der Natur, wo der eine wie ein Wegelagerer den anderen bedroht und ihm seinen Willen aufzwingt, vielmehr hat hier die Macht einer sozialen Gruppe eine Form, die Tillich das Staatliche nennt. Und das Sein der Gesamtgruppe drückt sich aus im Recht (vgl. GW II, 199). Das Staatliche als die Form der Macht einer sozialen Gruppe ist älter als der Staat. Wir finden es überall dort, wo es Gruppen gibt. Von Staat sprechen wir hingegen erst, wenn die Form der Macht, also das Staatliche, sich von der Mächtigkeit der Gruppe als eine Sonderfunktion ablöst und Eigenmächtigkeit erhält. Während ein Staat somit aufhören kann zu sein, gehört das Staatliche wesentlich zur Macht als deren Form und ist, da Macht ontologisch begründet ist, Seinsform. Die Machtposition dagegen, die von der Gesellschaft geschaffen und bestimmten einzelnen übergeben wird, also die Herrschaft, ist dagegen nicht ontologisch ursprünglich. Aus diesem Grunde kann man Tillich zufolge zwar von einer Theorie der Herrschaftslosigkeit sprechen, niemals aber von einer Theorie der Machtlosigkeit, da Macht ontologisch fundiert ist (vgl. GW II, 345).

Die Anerkanntheit der Macht überwindet zwar Widerstände, aber sie kann sie nicht alle überwinden. Darum ist ein weiteres Element der Macht nötig, das in der Lage ist, Widerstände zu brechen: die Gewalt. „Es gibt also eine Gewalt ..., die zur Macht gehört und in ihr mitanerkannt wird." (GW II, 202) Die Utopie der Gewaltlosigkeit wird nach Tillich schon durch die einfache Überlegung widerlegt, daß sogar der einzelne in sich selbst dauernd niedere Neigungen unterdrücken muß. Gewalt als Brechung widerstrebender Tendenzen findet sich somit in jedem sinnvollen Lebensprozeß. Zudem wird Gewalt gewöhnlich schon allein durch die Androhung ausgeübt (vgl. GW IX, 226). – Aber gibt es keine andere Möglichkeit, eine fremde sich verwirklichende Mächtigkeit zu neutralisieren – z.B. indem man sie in eine höhere Machtgruppe einordnet? Gewaltverzicht in diesem Sinne wäre dann keine Ohnmacht, sondern Ausdruck höherer Mächtigkeit, hinter der die Einsicht stünde, daß Einordnung mehr Macht schafft als die Vernichtung der entgegenstehenden Mächtigkeit. Doch so einfach ist es in der Begegnung von Macht zumeist nicht, denn solche Gedanken setzen ein statisches Verhältnis der Mächte voraus, in dem Macht als solche offenbar wäre, wie das z.B. in der Physik der Fall ist, wo das Erzwungene berechenbar ist. Die Mächtigkeit eines Seienden entscheidet sich aber immer erst in der Begegnung. Sie ist nicht statisch festlegbar. Man weiß im voraus nicht, wie stark sie ist. Weder der Angegriffene noch der Angreifer kennt das reale Verhältnis der Mächtigkeiten im voraus, da es sich erst durch den Angriff realisiert. Ein statisches Apriori der Machtverhältnisse gibt es deshalb ebensowenig wie ein statisches Apriori der Mächtigkeitsspannungen (vgl. GW IX, 212f.).

Die Unvermeidlichkeit der Gewalt ergibt sich somit notwendig aus der Situation des Nicht-Entschieden-Seins der Seinsmacht des Lebendigen. Eine Entscheidung aber birgt immer Risiken in sich. „Risiko heißt, daß die Gewaltanwendung notwendig und zerstörerisch sein kann." (GW IX, 213) Das ist

Tillich zufolge die Tragik alles Lebendigen, daß die Selbstverwirklichung des Endlichen zur Zerstörung des anderen und auch zur Selbstzerstörung führen kann. Diese Tragik könnte nur in einer statischen Weltanschauung vermieden werden. Unvermeidbar ist sie dagegen in einer Wirklichkeit mit dynamischem Charakter, die sich für sich selbst erst im Akt enthüllt.

Das Problem der Gewalt, das innerhalb jeder Machtproblematik *das* große ethische Problem darstellt, treibt weiter zu der Frage nach der Gerechtigkeit, die Tillich zufolge wie die Macht ontologische Wurzeln hat und nicht primär eine soziale Kategorie ist. Ist Gewalt in den Machtbegegnungen unvermeidbar, so stellt sich die Frage: Wann ist Gewalt als Ausdruck der Macht gerecht, wann ungerecht? Diese Frage kann nach Tillich negativ beantwortet werden: Unrecht ist jede Gewalt, die den Gegenstand der Gewalt zerstört, anstatt ihn zu seiner Selbsterfüllung zu führen. So handelt z.B. ein Staat ungerecht, der die Menschen entmenschlicht, der ihnen also dasjenige nimmt, was ihre Selbsterfüllung verlangt, der ihnen ihre Seinsmacht als Person raubt. Wenn sich auch Macht durch Gewalt verwirklicht, so ist sie darum doch nicht identisch mit ihr. Sie ist vielmehr Sein, das sich gegen die Drohung des Nichtseins behauptet. Und um diese Drohung zu überwinden, gebraucht sie Gewalt. Natürlich kann sie diese auch immer mißbrauchen. Aber nicht die Gewalt *an sich* ist schlecht. Schlecht ist sie nach Tillich nur, wenn sie nicht mit der Seinsmächtigkeit übereinstimmt, in deren Namen sie angewandt wird (vgl. GW XI, 173).

Die Macht muß nach Tillich aber nicht nur an die Gerechtigkeit, sondern auch an die Liebe gebunden sein. Tritt Macht ohne Bindung an Gerechtigkeit und Liebe auf, so ist sie nichts anderes als Gewalt. Ist Macht aber auf Gewalt beschränkt und verliert die Form der Gerechtigkeit und die Substanz der Liebe, so zerstört sie sich letztlich selbst und auch die Politik, die sich auf sie gründet (vgl. GW XI, 147).

Das Verwobensein von Macht, Gerechtigkeit und Liebe hat bei Tillich theologische Relevanz. Dadurch, daß er Gott als das

Sein-Selbst bezeichnet, verwahrt er sich strikt gegen einen Gottesbegriff, durch den Gott der Macht beraubt wird, denn das Sein-Selbst ist Seinsmächtigkeit schlechthin. Gott hat nicht nur Sein, sondern *ist* Sein. Er hat nicht nur Macht, Gerechtigkeit und Liebe, sondern *ist* sie. Alles Endliche dagegen kann sie *nicht sein*, sondern nur an ihnen *teilhaben*. Während im Menschen Macht, Gerechtigkeit und Liebe im Widerstreit miteinander stehen, sind sie im göttlichen Grund vereint, denn Gott als das Sein-Selbst umschließt Macht, Gerechtigkeit und Liebe (vgl. GW XI, 214). Das heißt, im göttlichen Leben ist die Zweideutigkeit der Macht durch das unzweideutige Leben überwunden. Die Macht ist hineingenommen in vollkommene Gerechtigkeit und Liebe. Ein Konflikt zwischen Macht, Gerechtigkeit und Liebe kann nur unter den Bedingungen der Existenz gedacht werden. Macht als das grundlegende Attribut des Seins wird so zum grundlegenden Attribut Gottes, der das Sein-Selbst ist.

Aber tritt nicht doch in Gott selbst die Liebe mit der Macht in eine Spannung, die zu der bedrängenden und immer wieder gestellten Frage führt: „Wie kann ein allmächtiger Gott, der zugleich der Gott der Liebe ist, soviel Elend zulassen?" (GW XI, 216) Fehlt Gott die Macht oder fehlt ihm die Liebe? Eine solche Frage ist für Tillich als reiner Gefühlsausbruch durchaus verständlich, doch steht sie in theoretischer Hinsicht auf sehr schwachen Füßen. Denn „wenn Gott eine Welt geschaffen hätte, in der es nichts Böses gibt, weder in physischer noch in moralischer Hinsicht, würden die Menschen nicht jene Unabhängigkeit besitzen, ohne die es keine Erfahrung der wiedervereinigenden Liebe gäbe. Die Welt wäre dann ein Paradies träumender Unschuld, ein Paradies für unmündige Kinder; aber weder Liebe noch Macht noch Gerechtigkeit würden jemals als wirkende Kräfte erscheinen. Die Verwirklichung der eigenen Möglichkeiten schließt mit Notwendigkeit die Entfremdung ein, Entfremdung von der ursprünglichen Wesensbestimmung, auf daß wir als Gereifte zu ihr zurückfinden. Nur ein Gott, der einer törichten Mutter gleicht, die in ihrer Sorge um das Wohlergehen ihrer Kinder diese in einem Zustand aufgezwungener Unschuld und erzwungener Abhängigkeit von ihr festhält, könnte seine Geschöpfe in das Gefängnis eines erträumten Paradieses einschließen. Und wie im Falle der törichten Mutter wäre das im Grunde ein Akt der Feindseligkeit, aber nicht Liebe. Und von Macht könnte dann auch nicht die Rede sein. Die Macht Gottes zeigt sich darin, daß er die Entfremdung überwindet, nicht darin, daß er sie verhindert. Diese Macht besteht darin, daß er, symbolisch gesprochen, die Entfremdung auf sich nimmt und nicht darin, daß er in toter Identität mit sich selbst verharrt. Das ist der eigentliche Sinn des uralten Symbols des Gottes, der am Leiden der Kreatur teilhat." (GW XI, 216f.)

Die ontologische Analyse hat aufgewiesen, daß Macht immer schon mit dem Sein gegeben ist. Für unser konkretes Leben heißt dies: Macht ist nun einmal da, und – um ein Wort Reinhold Schneiders aufzugreifen – sie muß verwaltet werden. Es ist unser Schicksal, daß wir weder in der bloßen Mächtigkeit, die die untere Grenze des Politischen ist, noch in einer Engels-Welt, die die obere Grenze des Politischen bildet, leben (vgl. GW IX, 177). Wir bewegen uns vielmehr in diesem „Zwischen", das die genannten Zweideutigkeiten menschlichen Seins ausmacht. In dieser Situation können wir nur hoffen, daß die Macht des göttlichen Geistes uns hilft, die Zweideutigkeiten der Macht zu überwinden (vgl. GW XI, 222). Solche Überwindung kann in unserer Welt immer nur fragmentarisch geschehen. Es ist zudem fraglich, ob eine völlige Überwindung der Zweideutigkeit in der Welt, eine absolute Wiedervereinigung der Menschheit im Zeichen von Liebe, Macht und Gerechtigkeit überhaupt wünschenswert wäre. Abgesehen davon, daß eine solche nicht möglich ist, wäre sie letztlich auch nicht erstrebenswert, weil dadurch die Dynamik des Lebens und so das Leben selbst zum Stillstand kommen würde (vgl. GW XI, 224). Eine Welt ohne die Dynamik der Macht und ohne die Tragik des Lebens und der Geschichte wäre nach Tillich weder das Reich Gottes noch die Erfüllung des Menschen und seiner Welt. „Erfüllung ist an das Ewige gebunden, und keine Phantasie kann das Ewige ermessen." (GW XI, 224)

Was in dieser Welt möglich ist, ist die fragmentarische Vorwegnahme der Ewigkeit, ein Verzicht auf Macht, der nicht Ausdruck nachlassender Lebensspannung ist oder etwa aus der Erschöpfung kommt, sondern aus der Fülle hervorgeht. Das Christentum hat einen solchen positiven Sinn des Machtverzichts immer vorausgesetzt. Doch darf hier niemals übersehen werden, daß dieser immer nur in der Sphäre der Mächte möglich ist. Deshalb muß der Verzicht auf Macht selbst Macht werden, um existieren zu können. „So entsteht jenes paradoxe und doch höchst wirkliche Gebilde der ‚Macht aus Verzicht auf Macht'" (GW II, 205), wie es in Jesus Christus anschaubar ist. Dieser Verzicht auf Macht ist aber nicht nur möglich für einen einzelnen, sondern auch für eine menschliche Gruppe. Eine solche Gruppe wäre Tillich zufolge „Kirche" im Wesenssinn des Wortes. Eine Kirche, die dieses ihr Wesen verwirklichte, wäre dann die „anschaubare Brechung der Ontologie der Macht" (GW II, 206).

Verzicht auf Macht ist immer nur fragmentarisch und paradox realisierbar. Das Hinausgehen über die Geschichte ist nicht möglich. Soll dieses Hinausgehen sich in der Geschichte ereignen – in irgendeiner kommenden –, so fehlt ihm die echte Transzendenz. Von hier aus ist jede Form von Utopie abzulehnen. „Der Pazifismus ist gut als Mahnung daran, daß die Welt im argen liegt, aber er ist schlecht als politischer Weg." (GW IX, 231) Das Sein des Seienden ist nicht ablösbar vom Mächtigsein und „In-Macht-Stehen".

Daß diese Ausführungen Tillichs zum Problem der Macht zum größten Teil innerhalb seiner Schriften zum Religiösen Sozialismus zu finden sind, kommt nicht von ungefähr, hat doch der Sozialismus, wie Tillich ihn verstand, ein widerspruchsvolles Verhältnis zur Macht. Denn in der zukünftigen Gesellschaft will er auf diese verzichten. Doch das ist für Tillich reiner „Harmonieglaube", ja nichts weiter als naiver „Wunderglaube" (GW II, 290). – Exempla docent!

b) Die Ambivalenz des Fortschritts

Die grundsätzliche Zweideutigkeit der menschlichen Situation wird uns aber nicht nur am Problem der Macht deutlich, sondern sie wird uns auch durch die Ambivalenz des Fortschritts vor Augen gestellt. Menschsein, so zeigt sich gerade hier, ist groß und tragisch zugleich. Während noch der Mensch des 19. Jahrhunderts glaubte, daß der wissenschaftliche und technische Fortschritt, den er täglich erlebte, gleichsam das Modell darstelle für einen permanenten Fortschritt auf allen Gebieten, spricht der Mensch des 20. Jahrhunderts nur noch zögernd vom Fortschritt, dafür mehr von Krise. Der Mensch der Gegenwart hat angefangen, am Fortschritt zu zweifeln (vgl. GW III, 182). Die Erfahrungen unseres Jahrhunderts haben den Fortschrittsglauben untergraben: „die katastrophalen Rückfälle auf Stufen der Unmenschlichkeit, die man für längst überwunden gehalten hatte, das Sichtbarwerden von Zweideutigkeiten des Fortschritts auf Gebieten, in denen wirklicher Fortschritt stattfindet, das Gefühl der Sinnlosigkeit eines endlosen Fortschritts ohne Ziel und die Erkenntnis, daß jedes neue Lebewesen mit der Freiheit geboren wird, neu zu beginnen, sei es zum Guten oder zum Bösen“ (ST III, 404).

Wir sind nach Tillich durch zu viele Katastrophen hindurchgegangen und leben in einer Situation, die mit möglichen Katastrophen geladen ist. Wir können den Fortschritt nicht mehr bedingungslos bejahen. Der technische Fortschritt hat durch seine fast unbegrenzten Möglichkeiten nach dem Zweiten Weltkrieg zu zerstörerischen Folgen geführt. In vielen Menschen hat dies einen gefühlsmäßigen und moralischen, zum Teil gewaltsamen Protest hervorgerufen (vgl. ST III, 298). So legt sich für viele nahe zu glauben, „daß die Geschichte mehr tragisch als fortschrittlich ist und daß die dämonischen Kräfte in der menschlichen Seele mächtiger sind als die göttlichen“ (GW XIII, 274). Doch darf man nach Tillich trotz aller negativen Komponenten das Befreiende des Fortschritts in Wissenschaft und Technik nicht übersehen: „Die Wissenschaft befreit den Menschen mit Hilfe der Technik immer mehr von rein mechanischen Funktionen, von vermeidbaren Übeln wie Krankheiten, von der bedrückenden Last der Arbeit, von gewissen Naturkatastrophen – ja, sie kann sogar das Leben verlängern." (GW III, 214) Wer von uns möchte schon auf diese Errungenschaften verzichten?

Um zu einer realistischen Einschätzung zu gelangen, ist es Tillich zufolge nötig, zu untersuchen, was Fortschritt eigentlich bedeutet, wo er möglich, wo er unmöglich ist – und wie wir mit ihm umzugehen haben. Denn weder das naive „Zurück zur Natur" noch der naive Glaube, die Gefahren der Technik seien durch neue Techniken zu bewältigen, können hier eine wirkliche Lösung bieten. Fortschritt ist eine allgemeine Erfahrung, die jeder Mensch in seinem Leben macht; er ist empirischer Beschreibung und logischer Analyse zugänglich. „Das Wort besagt, daß man aus einer weniger befriedigenden Lage zu einer besseren fortschreitet". (EW IV, 119 f.) Wo aber ist ein solcher Fortschritt möglich? Ist er in allen Bereichen möglich? Oder gibt es Gebiete, wo es unsinnig ist, von Fortschritt zu sprechen?

Der Fortschrittsgedanke gehört wesentlich zum technischen Weltbegriff. Er ist für die Sphäre des technischen Weltbildes geradezu konstitutiv. Aus diesem Grunde muß eine durchgängige Verneinung des Fortschrittsgedankens abgelehnt werden. „Fortschreiten im Sinne von Vervollkommnung ist der Verfertigung des ersten Werkzeuges ebenso immanent wie dem Bau der kompliziertesten Maschine in der Gegenwart." (GW IX, 150f.) Fortschritt gehört wesentlich zum Technischen als solchem. „Jede technische Errungenschaft ist die Basis möglicher neuer Errungenschaften. Dieser Prozeß kann zwar durch gesellschaftliche Vorgänge zum Stillstand, ja durch Vergessen oder Verarmung zum Rückgang gebracht werden. Aber das sind außertechnische Vorgänge." (GW IX, 151)

Doch auch wenn die Beobachtung der wissenschaftlichen und technischen Welt uns notwendig zur Bejahung des Fortschritts führt, darf hieraus kein universales Gesetz gemacht werden. Wir finden nämlich in der Wirklichkeit und in der Kultur auch „nicht-fortschrittliche" Elemente. So gibt es nach

Tillich ein Prinzip, welches das Gesetz des Fortschritts zu durchbrechen vermag: die menschliche Freiheit. „Wo Freiheit besteht, der Erfüllung unseres wahren Wesens zu widerstehen, ist das Gesetz des Fortschritts durchbrochen.“ (EW IV, 125) Mit Freiheit ist hier die Freiheit des moralischen Handelns gemeint. Jeder von uns ist Tag für Tag unzählige Male zum Handeln gezwungen. Hier aber von Fortschritt zu sprechen, wäre widersprüchlich, denn der Mensch, der sich ja gerade durch Freiheit auszeichnet, kann die eine oder die andere Richtung einschlagen. „Das bedeutet jedoch, daß jeder Mensch mit jeder Entscheidung einen neuen Anfang setzt.“ (EW IV, 125) Es gibt zwar auch Fortschritte in bezug auf die Inhalte der Moral und im Grad der moralischen Erziehung. Doch ist ein solches Reifen kein moralischer Fortschritt, sondern ein kultureller – auf moralischem Gebiet, da eine solche Einsicht den Menschen nicht besser macht.

Auch auf dem Gebiet der kulturellen Schöpfungen ist es unsinnig, von Fortschritt zu sprechen. Aber es gibt doch, so könnte man entgegenhalten, bei Kunstwerken Fortschritte in der technischen Behandlung des Materials. Das ist durchaus richtig. Aber bedeutet das schon Fortschritt in der Kunst selbst? „Ist Homer jemals übertroffen worden? Oder Shakespeare? Ist ein frühgriechischer Fries weniger wert als eine klassische Skulptur? Oder diese weniger wert als ein modernes expressionistisches Bildwerk? Die Antwort ist: Nein.“ (EW IV, 127) Sicherlich kann ein bestimmter Stil einen Reifepunkt erreichen. Wir kennen gute und schlechte Verkörperungen eines Stils. „Aber das Nacheinander verschiedener Stile bildet keine fortschreitende Linie.“ (EW IV, 127) Das heißt, es gibt keinen Fortschritt von Stil zu Stil.

Das Gleiche gilt nach Tillich für die Philosophie, wenn hierunter der Versuch verstanden wird, die Frage nach dem Wesen und der Struktur des Seins in universalen Begriffen zu beantworten. Zwar kann man in bezug auf das logische und empirische Element von Fortschritt sprechen, aber nicht in bezug auf das existentielle und inspirierte Element, das in jeder großen Philosophie vorhanden ist. In der Geschichte der Philosophie gibt es keinen Fortschritt. Verfeinerung der logischen Analyse und Zunahme des empirischen Wissens sind möglich. Doch das Denken eines Parmenides oder Heraklit kann nicht überboten werden. „Von Heraklit zu Whitehead besteht kein Fortschritt." (EW IV, 127)

Und wie steht es mit der Religion? Können wir hier von Fortschritt sprechen? Auch im Bereich der Religion müssen wir nach Tillich unterscheiden zwischen dem „eigentlichen religiösen Element und den kulturellen Elementen in den geschichtlichen Religionen" (ST III, 385). Sofern Religion menschliches Handeln ist, enthält sie natürlich auch technische Elemente im Kultus, in der Erziehung und in der kirchlichen Verwaltung; hier ist Fortschritt möglich. Sofern Religion aber göttliches Handeln ist „als Offenbarung des Jenseits von Welt und Selbst *in* Welt und Selbst", ist sie „jenseits alles Technischen" (GW IX, 185).

Wir können somit festhalten: „Fortschritt gibt es nur in bezug auf technische, wissenschaftliche und logische Elemente der Entwicklung, nicht im Bereich geistigen Schöpfertums und moralischen Handelns." (EW IV, 129) Dort können wir lediglich von einer gewissen Entwicklung im Sinne der „Reifung" sprechen, die jedoch kein „unendliches Weitergehen" beinhaltet. „Früchte reifen, d.h. sie erfüllen die in Keim und Knospe enthaltenen Möglichkeiten; wenn die Reife erreicht ist, beginnt der Verfall. Ein ‚darüber-hinaus' gibt es nicht." (GW IX, 185) Doch auch der technische Fortschritt kann uns mit seiner Zweideutigkeit in die Leere stürzen. Die Produktion von Mitteln für Zwecke, die dann selbst wieder zu Mitteln werden und so weiter ohne Ende, verwandelt die Welt in eine Welt von Objekten. Diese Möglichkeit, die in der Technik liegt, ist nicht nur ein Geschenk, das mit dem Menschsein gegeben ist, sondern immer auch eine Versuchung! Sie kann zu völliger Entleerung und Zerstörung führen (vgl. ST III, 296f.).

Diese letzten Überlegungen leiten zur religiösen Dimension des Fortschrittsgedankens über. Im alttestamentlichen Paradiesmythos, in dem die Aufforderung Gottes an den Menschen ergeht, den Garten Eden zu bebauen und über das Lebendige zu herrschen, ist die Freiheit des Menschen anerkannt und auch der technische Weltbegriff schöpfungsmäßig fundiert. Die technische Fähigkeit kommt somit nicht zum Menschen hinzu, sondern ist mit dem Menschsein gegeben. Menschsein heißt immer schon, die technische Welt als Möglichkeit und Aufgabe zu besitzen. „Über den Weltbegriff selbst ist damit gesagt, daß die Welt nicht einfach gesetzt ist als fertiges Gebilde, sondern daß sie sich selbst als Aufgabe gesetzt ist, nämlich im Menschen, daß ihr ‚Gutsein' nicht ihr Fertigsein bedeutet und daß der Mensch, obgleich ein Teil von ihr, verantwortlich für sie ist. Auf diese Weise enthält das technische Welt-Schaffen des Menschen seinen religiösen Sinn. Es ist Teilnahme am Schöpfungsprozeß selbst." (GW IX, 183) Aber der Paradiesmythos sieht gleichzeitig auch die Gefahr, die mit der technischen Weltgestaltung gegeben ist: Der Mensch kann der Versuchung erliegen, die Grenzen des Menschlichen zu überschreiten. So ergibt sich nach Tillich die folgende Beurteilung der Fortschrittsidee von seiten der Religion: „Sofern das Technische unendliches Fortschreiten als Qualität in sich hat und sofern das Technische konstitutiv für Menschsein ist, bejaht die Religion den Fortschritt. Sofern der Fortschrittsgedanke als allgemeines Modell für menschliche Entwicklung gebraucht und die mit der schöpferischen Freiheit verbundene tragische Schuld übersehen wird, lehnt die Religion den Fortschrittsgedanken als Ausdruck menschlicher *hybris* ab. Er setzt nämlich voraus, daß die Endlichkeit der menschlichen Existenz durch den Menschen in kontinuierlicher Annäherung aufhebbar wäre. Eben diese Voraussetzung aber konstituiert den *Hybris*-Begriff: Erhebung des Endlichen zu der Würde des Unendlichen, Verwechslung der bedingten Teilnahme am göttlichen Schaffen mit göttlichem Schaffen selbst. Der Fortschrittsglaube spricht dem Menschen schöpferische Macht zu. Aber Selbstschöpfung, scholastische Aseität, charakterisiert das Göttliche, den absoluten Ursprung. Das drückt sich in dem tragischen Element der Technik aus: Sie macht den Herrn zum Sklaven, indem sie ihn seelisch an sich bindet, in den Mittel-Zweck-Mechanismus hineinzieht und ihm für den Kampf der einzelnen Menschengruppen um die Beherrschung dieses Mechanismus Mittel der Zerstörung in die Hand gibt, die die technische Welt mit fortgesetzten Katastrophen bedrohen." (GW IX, 184) Die Religion anerkennt mithin die „fundamentale Bedeutung des Technischen für die Bestimmung des Menschen als Menschen", sie weiß aber gleichzeitig um die „dämonische Versucherqualität des Technischen" (GW IX, 186).

Was kann man nun gegen diese Versucherqualität unternehmen? Wie kann man dieser vollständigen Vergegenständlichung begegnen? Tillich bietet hier zwei Lösungen an. Erstens müssen alle Zwecke auf ein letztes Ziel hin ausgerichtet werden. „Auf diese Weise wird der unbegrenzten Freiheit des Menschen, über das Gegebene hinauszugehen, eine Grenze gesetzt." (ST III, 296) Dies kann dadurch geschehen, daß der technische Fortschritt sich selbst eine Grenze setzt. Erreicht wird das durch die Änderung unserer Einstellung zu den Möglichkeiten der Technik. Denn eine solche Änderung bewirkt notwendig eine Änderung der tatsächlichen technischen Produktion. Zweitens darf auch das Ding nicht mehr nur als Objekt betrachtet werden. Vielmehr muß jedes Ding zu „einem möglichen Gegenstand des *eros*" werden: „Das gilt sogar von Werkzeugen – vom einfachen Hammer bis zum hochentwickelten Computer. Wie in den frühesten Zeiten der Menschheitsgeschichte die Dinge Träger fetischistischer Kräfte waren, so können sie uns heute zu neuen Verkörperungen der Macht des Seins werden." (ST III, 296f.)

Deshalb gilt: „Insofern die Technik unzählige Menschen von der Mühsal der Arbeit, die sie körperlich zugrunde richtet, befreit und die Aktualisierung ihrer geistigen Potentialitäten ermöglicht, ist der technische Fortschritt eine heilende Kraft gegenüber den Wunden, die durch die zerstörerischen Folgen der Arbeit verursacht werden." (ST III, 70) In dem Moment aber, in dem der Fortschritt als ein universales Gesetz verstanden wird, das die Geschichte der Menschen und die Geschichte des Universums beherrscht, haben wir es mit einer gefährlichen Idee zu tun, einem quasi-religiösen Symbol, das eine Säkularisierung und Entstellung des religiösen Symbols der Vorsehung darstellt (vgl. ST III, 375). Der technische Fortschritt war und ist nicht in der Lage, die Welt ihres tragischen Charakters zu entkleiden und dem Menschen letzten Lebenssinn zu vermitteln.

Was aber ist der Sinn des Lebens? Tillich versucht hierauf folgende Antwort: „Vielleicht sind es die großen *kairoi* in der Geschichte. Sie bringen zwar keine vollkommene Erfüllung, aber sie bedeuten jeweils einen Sieg über eine besondere dämonische Macht, die einmal schöpferisch war, dann aber zerstörerisch geworden ist. Ein solcher Sieg ist möglich, aber er ist nicht notwendig. Der *kairos* braucht nicht einzutreten. Sein Ausbleiben ist eine ständige Gefahr in der Geschichte." (EW IV, 130) Wir dürfen von der Geschichte keine utopische Erfüllung oder ziellosen Fortschritt erwarten, sondern müssen auf die großen Augenblicke, die *kairoi*, hoffen; für sie müssen wir uns bereit halten. „In ihnen mag der Kampf zwischen dem Göttlichen und dem Dämonischen auf einen Augenblick zugunsten des Göttlichen entschieden werden, obwohl es keine Garantie gibt, daß es so kommen muß." (EW IV, 131) Die Geschichte ist nicht als ein „fortschreitender Prozeß" zu verstehen, der auf ein herrliches Ziel, zu einer Erfüllung hinführt. Erfüllung vollzieht sich vielmehr in jedem Augenblick, hier und jetzt, in der Geschichte und jenseits der Geschichte, nicht in einer unbestimmten Zukunft (vgl. EW IV, 131).

III. Denker in nachtheologischer Zeit

Unter einem rein äußeren Gesichtspunkt ist es keine Frage, daß Tillichs Denken in die Welt hinein gewirkt hat. Seine Bücher haben hohe Auflagen erreicht und wurden in viele Sprachen übersetzt.

Die Liste der Sekundärliteratur wächst von Jahr zu Jahr weiter an. Und noch zu Lebzeiten hat Tillich hohe Ehrungen erhalten, so 1958 den ‚Hansischen Goethepreis' sowie die ‚Goetheplakette der Stadt Frankfurt', und 1962 wurde ihm der ‚Friedenspreis des Deutschen Buchhandels' verliehen. Hinzu kommen zwölf Ehrendoktorate.

Gleichwohl gelangt man auch heute in der Einschätzung von Tillichs Wirkung immer noch zu einem ähnlichen Ergebnis wie Wolfgang Trillhaas in seinem bereits 1978 erschienenen Aufsatz „Paul Tillich im Lichte seiner Wirkungsgeschichte".[22] So zählt Tillich zwar neben Karl Barth und Rudolf Bultmann zu den bedeutendsten evangelischen Theologen unseres Jahrhunderts, doch läßt sich über seine Wirkung nur schwer etwas Konkretes ausmachen.

In Deutschland war Tillich fast vergessen, bis die *Gesammelten Werke*, deren Herausgabe das Evangelische Verlagswerk 1958 beschlossen hatte, ihn in seinem Geburtsland wieder bekannt machten. Daneben kommt hierzulande der „Deutschen Paul-Tillich-Gesellschaft e.V." eine entscheidende Rolle zu. Durch regelmäßig stattfindende Tagungen bemüht sie sich um die Verbreitung und kritische Aufarbeitung seines theologischen und philosophischen Denkens. Eine ähnliche Aufgabe hat sich auch das seit 1986 alle zwei Jahre in Frankfurt am Main stattfindende „Internationale Paul-Tillich-Symposion" gestellt, in dessen Rahmen seit 1988 ein „Paul-Tillich-Preis" für eine herausragende wissenschaftliche Arbeit zum Werk Tillichs vergeben wird.

Trotz all dieser Bemühungen ist Tillichs Denken in der Evangelischen Kirche Deutschlands bisher ohne wesentlichen Einfluß geblieben. Im universitären Bereich stellt sich die Situation auch nicht viel anders dar; hier sind es immer einzelne Forscherpersönlichkeiten, die sich dem Werk Tillichs widmen. – Woher kommt diese ingesamt geringe Rezeption? Drei Punkte sind hier zu nennen:

Erstens ist von Tillich – etwa im Unterschied zu Barth oder Bultmann – keine Schule ausgegangen, was allerdings in der Konsequenz seines Denkens liegt. Denn es geht Tillich weniger um die Vermittlung bestimmter Sachverhalte als vielmehr um die Vermittlung einer bestimmten Methode des Denkens. D. B. Robertson, ein Schüler Tillichs aus der Zeit am Union Theological Seminary in New York bestätigt diese Sicht, wenn er meint, daß viele von Tillich mehr gelernt hätten als von irgendeinem anderen Lehrer, aber es ihnen schwer fallen würde, wenn sie sagen müßten, was dies genau sei.[23]

Zweitens ist Tillich zwar einerseits ein typisch protestantischer Denker – erinnert sei hier nur an das Rechtfertigungsprinzip, das sich wie ein roter Faden durch sein ganzes Werk zieht –, er ist es aber andererseits auch wiederum nicht, bedenkt man seine Offenheit gegenüber der Kultur, der Philosophie und den nicht-christlichen Religionen. So ist es denn auch besonders seine Offenheit gegenüber der Philosophie, die bewirkt hat, daß Tillich sowohl in Amerika als auch in Deutschland von einer Seite beachtet und aufgenommen wurde, von der man es vielleicht am wenigsten erwartet hätte, dem Katholizismus. Im Gespräch hat er wohl öfter betont: „Meine katholischen Freunde verstehen mich besser als meine protestantischen."

Das leitet auch schon zum dritten Punkt über, nämlich daß Tillichs Offenheit dazu geführt hat, daß sich die verschiedensten Richtungen auf ihn berufen konnten. Aber bei mindestens ebensovielen ist er auch auf Ablehnung gestoßen. So werfen ihm Philosophen theologische Einseitigkeit vor, während Theologen an ihm kritisieren, daß er zu philosophisch sei. Halten die einen ihn für den protestantischen Thomas von

Aquin, so sehen andere in ihm fast einen Apostaten. Die einen bezeichnen ihn als leichtfüßig, die anderen als tief. Die einen halten ihn für zeitbedingt, ja theologisch überholt, die anderen sehen in seinem Denken die Theologie der Zukunft. Und während die einen in ihm einen Vorboten der Gott-ist-tot-Theologie sahen, feierten die anderen ihn als Retter des religiösen Elementes in einer säkularisierten Welt. Die einen wittern bei ihm die Auflösung des eigentlich Christlichen, die anderen vermissen bei ihm gerade diesen letzten Schritt – und werfen ihm das vor. Und während die einen unverhohlen die Frage diskutieren, ob er Atheist sei oder, wenn nicht Atheist, so doch Pantheist, werfen ihm die anderen vor, er sehe alles nur im Lichte der Religion. Die Nationalsozialisten bekämpften ihn wegen seines Religiösen Sozialismus, und Sozialisten haben ihm ideologisches Denken vorgeworfen, ja gar eine ambivalente Haltung dem Faschismus gegenüber. Und während die einen meinen, er gehe immer von ganz konkreten Erfahrungen aus, bestreiten ihm andere genau dieses und meinen, er denke keineswegs „von unten", sondern denke in erster Linie über Prinzipien und Forderungen nach.

Tillich paßt in kein Schema; er ist offen für alles und alle. Darum können sich auch die verschiedensten Richtungen auf ihn berufen. Wer eben auf der Grenze steht, wird gerne der einen oder anderen Seite zugeschlagen. Bedeutet das aber schon, daß sein Denken verschwommen ist, daß er keinen Standpunkt einnimmt, daß er sich wie ein Chamäleon seiner Umwelt anpaßt, um nur ja nicht anzuecken? Das bedeutet es auf keinen Fall. Denn Tillich hat sich zeitlebens entschieden gegen jeden Konformismus ausgesprochen (vgl. RR III, 138ff.); seine Vertreibung aus der Heimat sollte hierfür Beweis genug sein. Aber wenn man mit dem Satz des Paulus ernst macht: „Allen bin ich alles geworden ..." (1 Kor 9,22), so wird man immer Gefahr laufen, in dieser Weise mißverstanden zu werden. Tillich hat dieses Wagnis bewußt auf sich genommen. In einer seiner Predigten heißt es über den Theologen: „Er wird den Platonikern ein Platoniker, den Stoikern ein Stoiker, den Hegelianern ein Hegelianer, den Fortschrittsgläubigen ein Fortschrittsgläubiger ... Der Theologe gebraucht den Realismus und wird den Positivisten ein Positivist, den Pragmatisten ein Pragmatist, den Tragikern ein Tragiker" (R I, 117f.). Wenn Theologie eine solche „mimetische" Funktion haben soll, ist es dann verwunderlich, wenn sie mißbraucht oder mißverstanden wird? Ist es dann verwunderlich, wenn sie von der einen Seite usurpiert, von der anderen Seite kritisiert wird?

Tillichs Denken und seine Begrifflichkeit kommen nur dem verschwommen vor, der meint, daß nur über das gesprochen werden könne, was sich klar sagen lasse (Ludwig Wittgenstein). Die Wirklichkeit ist aber vielschichtig, vieldimensional, und Tillichs Denken sucht dem gerecht zu werden. Urworte wie Gott, Religion, Geist, Freiheit sind nie völlig auslotbar, sie bleiben unerschöpflich.

Tillichs Denken ist so viel und so wenig widersprüchlich wie das Leben selbst. Leben aber ist nicht widersprüchlich, sondern gebrochen, essentiell gebrochen. Und diese essentielle Gebrochenheit bringt Tillich in seinem Denken zum Ausdruck. Er hat sich selbst auch nicht so sehr als Philosoph oder Theologe verstanden, sondern eher als „Interpret des Lebens", wie er es einmal einem Studenten gegenüber formuliert hat – als Interpret eines Lebens, das wesensmäßig zweideutig ist und sich nicht einfangen läßt in eindeutigen Aussagen. Der Mensch lebt in einer gewissen Horizontstellung, so haben es die Alten formuliert; und diese Horizontstellung will Tillich dadurch zum Ausdruck bringen, daß er dem Menschen seinen Ist-Zustand verdeutlicht, ihm gleichzeitig aber auch seinen Sollens-Zustand vor Augen hält. Doch dieser Sollens-Zustand blitzt immer nur auf, das Ewige scheint im Jetzt immer nur fragmentarisch durch.

Was macht also die eigentliche Bedeutung Tillichs aus? Von sich selbst hat er einmal gesagt, daß er nie das war, was man im typischen Sinne einen Gelehrten nennt (vgl. GW XII, 20). Darin hat er vollkommen recht, denn philosophie- und theologiegeschichtlich – so hat sich gezeigt – steht er abseits dessen, was im allgemeinen Verständnis Gelehrsamkeit ausmacht. So hat er weder auf exegetischem noch auf dogmengeschichtlichem Gebiet originale Forschungen geliefert; er hat dies aber auch nie für sich in Anspruch genommen. Tillichs Denken geht vielmehr stets auf das Ganze, auf das Ganze von Mensch und Welt, von Welt und Gott. Natürlich hat ein solches Denken Schwächen. Aber das ist nicht entscheidend. Entscheidend ist, daß diese Schwächen gewagt werden. Denn nur so ist ein Weiterkommen möglich. „Mag der Kritiker ihm vielleicht ein zu großzügiges Generalisieren und unbekümmertes Einordnen vorhalten", schreibt Norbert Ernst, „so ist doch eines in dieser weitgefaßten Schau für Tillich typisch und bezeichnend: Es geht ihm darum, Grundfragen aufzuspüren und sie als die eigentlich bewegenden Motive des Nachdenkens der Menschheit zu verfolgen. Seine Streifzüge durch die Geistesgeschichte versuchen, die unterirdischen Strömungen freizulegen, die das vielleicht regellos scheinende Spiel an der Oberfläche bestimmen."[24]

Selbst hinter den abstraktesten Gedanken verbergen sich deshalb bei Tillich letztlich praktische, seelsorgerliche Interessen. So ist es auch kein Zufall, daß es gerade die Methode der Korrelation und der Begriff des Symbols sind, die entscheidend weitergewirkt haben – und beides vor allem im Bereich der Religionspädagogik. „Didaktik der Korrelation"[25] und „Symboldidaktik"[26] sind hier – im Anschluß an Tillich – zu zentralen Begriffen geworden. Hinter beiden Begriffen steckt – bei aller Modernität – die alte Einsicht, daß das Verhältnis von Gott und Welt weder im Sinne einer Synthese noch im Sinne einer Diastase gesehen werden darf (vgl. EW I, 306).

Erinnern wir uns an das eingangs zitierte Wort Tillichs: Nach acht Jahren kann man nichts mehr über Amerika schreiben, weil man weiß, wie geheimnisvoll eine andere geistige Wirklichkeit ist! So geht es uns eben auch mit Tillich. Wir werden nie mit ihm fertig. Sein Denken ist so komplex, daß man sich ihm immer nur perspektivisch nähern kann. Jede Perspektive bietet zwar ein richtiges Bild, gibt aber nie ein Gesamtbild ab.

Wir haben auf die Stärken, aber auch auf die Schwächen in Tillichs Konzeption hingewiesen. Das ist ganz in seinem Sinne.

Denn er hat selbst einmal geäußert, daß unsere Beziehung zu den großen geschichtlichen Persönlichkeiten weder durch ein undialektisches Ja noch durch ein undialektisches Nein geprägt sein dürfe (vgl. GW XII, 68). So hat er auch sein eigenes Hauptwerk, die *Systematische Theologie*, nie als ein abgeschlossenes Werk betrachtet, sondern als „eine Station auf dem endlosen Weg zur Wahrheit" (ST III, 9).

Tillich war auf der einen Seite unendlich „impressionabel" (Theodor W. Adorno), er war aber auf der anderen Seite ebenso unbeweglich in den einmal gewonnen Überzeugungen. So hat er den Standpunkt seines frühen Systems von 1913 und der Habilitationsschrift von 1915, der frühen Aufsätze zum Rechtfertigungsprinzip und zur Kulturtheologie nie aufgegeben. Neues wird zwar integriert, aber wirklich Neues kaum noch entwickelt.

Offenheit zur Kultur, Offenheit zur Philosophie und Offenheit zu den nicht-christlichen Religionen, das zeichnet das theologische Denken Tillichs aus; wobei er nie den damit verbundenen Gefahren erlegen ist, d.h. der Säkularisierung, der Rationalisierung und dem religiösen Pluralismus bzw. gar Relativismus. In einer frühen Predigt aus dem Jahre 1909 bringt Tillich diese Offenheit in die folgenden Worte – die zugleich wie eine Zusammenfassung seiner ganzen Denkbemühungen klingen: „Wir wollen kein Treibhauschristentum, sondern ein Christentum unter freiem Himmel. Wir wollen keine künstliche Frömmigkeit, sondern eine natürliche und wahrhaftige. Dies ist das Verderbliche am Treibhauschristentum, daß es unwahrhaftig ist, wie blühende Blumen in Eis und Schnee eine Unwahrhaftigkeit sind. Und weil es unwahrhaftig ist, darum ist es unzuverlässig und wird vom Wind zerbrochen und von der Kälte erfroren und von der Hitze verdorrt." (EW VII, 80)

Man kann eine solche Theologie mit Wolfgang Trillhaas zu Recht als eine „Theologie in nachtheologischer Zeit" bezeichnen.[27] Ähnlich drückt sich auch Trutz Rendtorff aus, wenn er Tillichs Denken als eine „Religionsphilosophie der Postmoderne" charakterisiert.[28]

Versteht sich die Moderne als das Zeitalter, das durch Aufklärung, Fortschrittsglauben und Wissenschaftsgläubigkeit geprägt ist, so fordert Tillich eine Überwindung dieser Moderne durch eine Aufklärung über die Aufklärung und versucht – vielleicht wie kein zweiter Theologe – die Zweideutigkeit des Fortschritts und die Verschiedenheit der Religion von der Wissenschaft herauszuarbeiten. Worum es Tillich hier geht, hat er in seiner Antwort auf die Frage eines Studenten: „Dr. Tillich, sind Sie nicht ein gefährlicher Mann?", einmal so formuliert: „Die wirklich gefährlichen Leute sind die großen Kritiker gewesen seit der Aufklärung, und speziell im 18. und 19. Jahrhundert. *Sie* könnte man als gefährlich bezeichnen. Aber was ich tue, ist etwas ganz anderes. Nachdem diese gefährlichen Leute, diese mutigen Leute, ihre Aufgabe getan haben und die Primitivität des religiösen Buchstabenglaubens zerstört haben, versuche ich, die alten Wirklichkeiten auf einer anderen Grundlage wieder aufleben zu lassen."[29]

In einer Predigt mit dem Titel „Vom Warten" beklagt Tillich, daß unser religiöses Leben durch nichts mehr geprägt sei als durch selbstgeschaffene Gottesbilder. Und dann heißt es: „Ich denke an den Theologen, der nicht auf Gott wartet, weil er ihn, in ein Lehrgebäude eingeschlossen, besitzt. Ich denke an den Theologiestudenten, der nicht auf Gott wartet, weil er ihn, in ein Buch eingeschlossen, besitzt. Ich denke an den Geistlichen, der nicht auf Gott wartet, weil er ihn, in eine Institution eingeschlossen, besitzt. Ich denke an den Gläubigen, der nicht auf Gott wartet, weil er ihn, in seine eigene Erfahrung eingeschlossen, besitzt. Es ist nicht leicht, dieses Nicht-Haben Gottes, dieses Warten auf Gott zu ertragen." (RR I, 141 f.)

Theologie in nachtheologischer Zeit meint nicht das Ende der Theologie. Theologie wird nicht zu Ende gehen, denn immer wird es Menschen geben, die theologische Fragen stellen. Theologie in nachtheologischer Zeit meint einfach nur dieses Warten auf Gott, das wir weithin verlernt haben, dieses „Warten auf den Einbruch der Ewigkeit" (RR I, 143). Tillich hat zeitlebens auf diesen Einbruch gewartet, ihn heraufbeschworen und auch gedeutet. Das macht die Größe seines Denkens aus.

Anhang

1. Anmerkungen

1 R. Albrecht/W. Schüßler (Hrsg.), Paul Tillich – Sein Leben, Düsseldorf 1986.
2 R. May, Paulus. Tillich as Spiritual Teacher, Dallas 1988, S. 114ff.
3 Vgl. R. Albrecht, Paul Tillich – his life and his personality, in: M. Despland/J.-C. Petit/J. Richard (Hrsg.), Religion et culture, Québec 1987, S. 7–16, hier: S. 14f.
4 C. H. Ratschow, Paul Tillich. Ein biographisches Bild seiner Gedanken, in: Tillich-Auswahl, hrsg. von M. Baumotte, 3 Bde., Gütersloh 1980, Bd. 1, S. 11–104, hier: S. 24.
5 Vgl. ebd., S. 22.
6 Vgl. ebd., S. 15.
7 Interview mit T. W. Adorno, in: Werk und Wirken Paul Tillichs. Ein Gedenkbuch, Stuttgart 1967, S. 25.
8 F. W. J. Schelling, Sämtliche Werke, hrsg. von K. F. A. Schelling, 14 Bde., Stuttgart/Augsburg 1856-1861, Bd. XIII, S. 188f.
9 G. Wenz, Tillichs Kritik des Supranaturalismus, in: G. Hummel (Hrsg.), God and Being/Gott und Sein. Das Problem der Ontologie in der philosophischen Theologie Paul Tillichs, Berlin 1989, S. 3–29, hier: S. 22.
10 Vgl. G. Wenz, Theologie ohne Jesus? Anmerkungen zu Paul Tillich, in: Kerygma und Dogma 26 (1980), S. 128–139.
11 D. Bonhoeffer, Widerstand und Ergebung, hrsg. von E. Bethge, München 1966, S. 219.
12 W. Weischedel, Paul Tillichs philosophische Theologie. Ein ehrerbietiger Widerspruch, in: Der Spannungsbogen, hrsg. von K. Henning, Stuttgart 1961, S. 25–47, hier: S. 32f.
13 I. Henel, Philosophie und Theologie im Werk Paul Tillichs, Stuttgart 1981, S. 61f.
14 H. Zahrnt, Die Sache mit Gott. Die protestantische Theologie im 20. Jahrhundert, München 1966, S. 436.
15 Vgl. K. Jaspers/R. Bultmann, Die Frage der Entmythologisierung, München 1981.
16 A. Schopenhauer, Sämtliche Werke, hrsg. von A. Hübscher, 7 Bde., Leipzig 1937–41, Bd. 3, S. 182f. (= Die Welt als Wille und Vorstellung, Bd. 2, cap. 17).
17 Vgl. E. Husserl, Ideen I (= Husserliana III), Den Haag 1976, passim.

18 Vgl. H. Cohen, Religion der Vernunft aus den Quellen des Judentums, Darmstadt ²1966, passim.
19 H. Fischer, Die Christologie als Mitte des Systems, in: Ders. (Hrsg.), Paul Tillich: Studien zu einer Theologie der Moderne, Frankfurt/M. 1989, S. 207–229, hier: S. 225.
20 Vgl. E. Schillebeeckx, Glaubensinterpretation, Mainz 1971, S. 83–109.
21 H. Zahrnt, a.a.O., S. 418.
22 W. Trillhaas, Paul Tillich im Lichte seiner Wirkungsgeschichte, in: Zeitschrift für Theologie und Kirche 75 (1978), S. 82–98.
23 J. Dillenberger, Paul Tillich: a personal perspective, in: Newsletter of the North American Paul Tillich Society 19/1 (1993), S. 3–8, hier: S. 7.
24 N. Ernst, Die Tiefe des Seins. Eine Untersuchung zum Ort der analogia entis im Denken Paul Tillichs, St. Ottilien 1988, S. 59.
25 Vgl. G. Baudler, Korrelationsdidaktik, Paderborn 1984.
26 Vgl. P. Biehl, Symbole geben zu lernen. Einführung in die Symboldidaktik, Neukirchen 1989.
27 W. Trillhaas, a.a.O., S. 96.
28 T. Rendtorff, In Richtung auf das Unbedingte. Religionsphilosophie der Postmoderne, in: H. Fischer (Hrsg.), Paul Tillich: Studien zu einer Theologie der Moderne, Frankfurt/M. 1989, S. 335–356.
29 D. M. Brown, Ultimate concern. Tillich in dialogue, London 1962, S. 188 u. 192.

2. Literaturverzeichnis

A. Werke

1. Gesamtausgaben

Gesammelte Werke, hrsg. von R. Albrecht, 14 Bde., Stuttgart 1959–1975.
Ergänzungs- und Nachlaßbände zu den Gesammelten Werken von Paul Tillich, bisher 8 Bde., Stuttgart, dann Berlin 1971 ff.
Main works/Hauptwerke, hrsg. von C. H. Ratschow, 6 Bde., Berlin 1987 ff. [Bisher sind 5 Bde. erschienen.]

2. Hauptwerke außerhalb dieser Gesamtausgaben

Der Begriff des Übernatürlichen, sein dialektischer Charakter und das Prinzip der Identität, dargestellt an der supranaturalistischen Theologie vor Schleiermacher, theol. Habil.-Schr. Halle 1916, Tl. 1: Königsberg/Neumark 1915, VII, 58 S. – Tl. 2: Masch. ungedruckt, S. 56–191, Dt. Paul-Tillich-Archiv Marburg.
Dogmatik. Marburger Vorlesung von 1925, hrsg. von W. Schüßler, Düsseldorf 1986.

The shaking of the foundations, New York 1948. Dt.: In der Tiefe ist Wahrheit. Religiöse Reden. 1. Folge, Stuttgart 1952, Frankfurt/M. 91985 (Nachdruck Berlin 1987).
The new being, New York 1955. Dt.: Das Neue Sein. Religiöse Reden. 2. Folge, Stuttgart 1957, Frankfurt/M. 61983 (Nachdruck Berlin 1987).
The eternal now, New York 1963. Dt.: Das Ewige im Jetzt. Religiöse Reden. 3. Folge, Stuttgart 1964, Frankfurt/M. 41986 (Nachdruck Berlin 1987).
Systematic Theology, Vol. I, Chicago 1951. Dt.: Systematische Theologie, Bd. I, Stuttgart 1955; überarb. 21957, Frankfurt/M. 81984 (Nachdruck Berlin 1987).
Systematic Theology, Vol. II, Chicago 1957. Dt.: Systematische Theologie, Bd. II, Stuttgart 1958, Frankfurt/M. 81984 (Nachdruck Berlin 1987).
Systematic Theology, Vol. III, Chicago 1963. Dt.: Systematische Theologie, Bd. III, Stuttgart 1966, Frankfurt/M. 41984 (Nachdruck Berlin 1987).

B. Bibliographien

Albrecht, R., John, P. H., Stöber, G., ergänzt und fortgeführt von W. Schüßler, Bibliographie [Paul Tillich], in: R. Albrecht/W. Schüßler, Schlüssel zum Werk von Paul Tillich. Textgeschichte und Bibliographie sowie Register zu den Gesammelten Werken. Gesammelte Werke Band XIV. 2. neubearbeitete und erweiterte Auflage, Berlin 1990, S. 163–271. [Vollständige Bibliographie der Primärliteratur.]
Crossmann, R. C., Paul Tillich: a comprehensive bibliography and keyword index of primary and secondary writings in English, Metuchen 1983.
Schüßler, W., Artikel „Tillich, Paul“, in: Biographisch-bibliographisches Kirchenlexikon, hrsg. von F. W. Bautz, Bd. 10, Herzberg 1997 (*im Druck*). [Bisher umfangreichste Bibliographie der Sekundärliteratur.]

C. Sekundärliteratur

1. Biographisches

May, R., Reminiscences of a friendship, New York 1973. – Die 2. Aufl. erschien unter dem Titel: Paulus. Tillich as spiritual teacher, Dallas 1988, und wurde erweitert um einen „Epilog“: „A great teacher“.
Tillich, H., From time to time, New York 1973 (dt.: Ich allein bin, Gütersloh 1993).
Pauck, W. u. M., Paul Tillich: His life and thought, Vol. I: Life, New York 1976 (dt.: Paul Tillich: Sein Leben und Denken, Bd. I: Leben, Stuttgart 1978).

Wehr, G., Paul Tillich in Selbstzeugnissen und Bilddokumenten (Rowohlts Monographien, hrsg. von K. Kusenberg), Reinbek 1979.
Bertinetti, I., Paul Tillich (Biographien zur Kirchengeschichte, hrsg. von H.-U. Delius), Berlin 1990.
Albrecht, R./Schüßler, W., Paul Tillich – Sein Leben, Frankfurt/M. 1993.
Cali, G., Paul Tillich first-hand: a memoir of the Harvard years, Chicago 1996.

2. Zur Einführung

Ratschow, C. H., Paul Tillich. Ein biographisches Bild seiner Gedanken, in: Tillich-Auswahl, hrsg. von M. Baumotte, Bd. I, 1980, S. 11–104.
Rolinck, E., Paul Tillich (1886-1965), in: Klassiker der Theologie, hrsg. von H. Fries/G. Kretschmar, Bd. 2, München 1983, S. 347–361.
Newport, J. P., Paul Tillich, Waco 1984.
Steinacker, P., Paul Tillich: Der Mut zum Sein, in: Grundprobleme der großen Philosophen. Philosophie der Gegenwart VI, hrsg. von J. Speck, Göttingen 1984, S. 157–188.
Ratschow, C. H., Paul Tillich, in: Gestalten der Kirchengeschichte, hrsg. von M. Greschat, Bd. X/2, Stuttgart 1986, S. 123–144.
Albrecht, R./Schüßler, W. (Hrsg.), Paul Tillich – Sein Werk, Düsseldorf 1986.

3. Zur Wirkungsgeschichte

Trillhaas, W., Paul Tillich im Lichte seiner Wirkungsgeschichte. Eine Bilanz, in: Zeitschrift für Theologie und Kirche 75 (1978), S. 82–98.
Bertalot, R., L'éco de la pensée de Paul Tillich en Italie, in: M. Despland/ J.-C. Petit/J. Richard (Hrsg.), Religion et culture. Actes du colloque international du centenaire Paul Tillich. Université Laval, Québec, 18–22 août 1986, Québec 1987, S. 19–26.
Hummel, G., On the history of Paul Tillich's influence in Germany, in: ibid., S. 27–32.
Reymond, B., La réception de Tillich et de ses oeuvres dans les pays d'expression française, in: ibid., S. 33–45.
Scharlemann, R. P., The influence of Tillich's thought in the United States, in: ibid., S. 47–50.

4. Forschungsberichte

Schwanz, P., Zur neueren deutschsprachigen Literatur über Paul Tillich, in: Verkündigung und Forschung. Beilage zu: Evangelische Theologie 24 (1979), S. 55–86.
Schwöbel, Ch., Tendenzen der Tillich-Forschung (1967–1983), in: Theologische Rundschau 51 (1986), S. 166–223.

5. Sammelbände

Adams, J. L./Pauck, W./Shinn, R. L. (Hrsg.), The thought of Paul Tillich, New York 1985.
Bulman, R. F./Parella, F. J. (Hrsg.), Paul Tillich: a new Catholic assessment, Collegeville 1994.
Carey, J. C. (Hrsg.), Being and doing: Paul Tillich as ethicist, Macon 1987.
Despland, M./Petit, J.-C./Richard, J. (Hrsg.), Religion et culture. Actes du colloque international du centenaire Paul Tillich. Université Laval, Québec, 18-22 août 1986, Québec 1987.
Fischer, H. (Hrsg.), Paul Tillich: Studien zu einer Theologie der Moderne, Frankfurt/M. 1989.
Hummel, G. (Hrsg.), God and Being/Gott und Sein. Das Problem der Ontologie in der philosophischen Theologie Paul Tillichs. Beiträge des II. Internationalen Paul-Tillich-Symposions in Frankfurt/M. 1988, Berlin 1989.
Hummel, G. (Hrsg.), New Creation or Eternal Now/Neue Schöpfung oder Ewiges Jetzt: Hat Tillich eine Eschatologie? Beiträge des III. Internationalen Paul-Tillich-Symposions in Frankfurt/M. 1990, Berlin 1991.
Hummel, G. (Hrsg.), Natural theology versus theology of nature?/Natürliche Theologie versus Theologie der Natur? Beiträge des IV. Internationalen Paul-Tillich-Symposions in Frankfurt/M. 1992, Berlin 1994.
Hummel, G. (Hrsg.), The theological paradox/Das theologische Paradox. Interdisziplinäre Reflexionen zur Mitte von Paul Tillichs Denken. Beiträge des V. Internationalen Paul-Tillich-Symposions in Frankfurt/M. 1994, Berlin 1995.
Kegley, C. W. (Hrsg.), The theology of Paul Tillich, New York 1982.
O'Meara, T. F./Weisser, C. (Hrsg.), Paul Tillich in Catholic thought, Chicago 1964.
Parella, F. J. (Hrsg.), Paul Tillich's theological legacy: spirit and community, Berlin 1995.

6. Monographien

Adams, J.L., Paul Tillich's philosophy of culture, science, and religion, New York 1970.
Amelung, E., Die Gestalt der Liebe. Paul Tillichs Theologie der Kultur, Gütersloh 1972.
Brinkschmidt, E., Paul Tillich und die pädagogische Normenproblematik: eine interdisziplinäre Grund-Erörterung, Bielefeld 1978.
Clayton, J. P., The concept of correlation: Paul Tillich and the possibility of a mediating theology, Berlin 1980.
Ernst, N., Die Tiefe des Seins. Eine Untersuchung zum Ort der analogia entis im Denken Paul Tillichs, St. Ottilien 1988.
Henel, I., Philosophie und Theologie im Werk Paul Tillichs, Stuttgart 1981.

Horstmann-Schneider, A., Sein und menschliche Existenz. Zu Paul Tillichs philosophischer Anthropologie im Horizont von Theologie und Humanwissenschaften, Würzburg 1995.

Irwin, A. C., Eros toward the world. Paul Tillich and the theology of the erotic, Minneapolis 1991.

Jahr, H., Theologie als Gestaltmetaphysik. Die Vermittlung von Gott und Welt im Frühwerk Paul Tillichs, Berlin 1989.

Mader, J., Kirche innerhalb und außerhalb der Kirchen: der Kirchenbegriff in der Theologie Paul Tillichs, St. Ottilien 1987.

Nörenberg, K.-D., Analogia imaginis. Der Symbolbegriff in der Theologie Paul Tillichs, Gütersloh 1966.

Palmer, M., Paul Tillich's philosophy of art, Berlin 1984.

Reetz, U., Das Sakramentale in der Theologie Paul Tillichs, Stuttgart 1974.

Repp, M., Die Transzendierung des Theismus in der Religionsphilosophie Paul Tillichs, Frankfurt/M. 1986.

Röer, H., Heilige, profane Wirklichkeit bei Paul Tillich: ein Beitrag zum Verständnis und zur Bewertung des Phänomens der Säkularisierung, Paderborn 1975.

Rolinck, E., Geschichte und Reich Gottes: Philosophie und Theologie der Geschichte bei Paul Tillich, Paderborn 1976.

Scharlemann, R. P., Reflection and doubt in the thought of Paul Tillich, New Haven 1969.

Schäfer, K., Die Theologie des Politischen bei Paul Tillich unter besonderer Berücksichtigung der Zeit von 1933–1945, Frankfurt/M.1988.

Schepers, G., Schöpfung und allgemeine Sündigkeit. Die Auffassung Paul Tillichs im Kontext der heutigen Diskussion, Essen 1974.

Schmitz, J., Die apologetische Theologie Paul Tillichs, Mainz 1966.

Schnübbe, O., Paul Tillich und seine Bedeutung für den Protestantismus heute: das Prinzip der Rechtfertigung im theologischen, philosophischen und politischen Denken Paul Tillichs, Hannover 1985.

Schüßler, W., Der philosophische Gottesgedanke im Frühwerk Paul Tillichs (1910–1933). Darstellung und Interpretation seiner Gedanken und Quellen, Würzburg 1986.

Schüßler, W., Jenseits von Religion und Nicht-Religion. Der Religionsbegriff im Werk Paul Tillichs, Frankfurt/M. 1989.

Schwanz, P., Analogia imaginis. Ein Beitrag zur kritischen Auseinandersetzung mit der philosophischen Theologie Paul Tillichs, Göttingen 1980.

Seigfried, A., Das neue Sein: der Zentralbegriff der ontologischen Theologie Paul Tillichs in katholischer Sicht, München 1974.

Seigfried, A., Gott über Gott. Die Gottesbeweise als Ausdruck der Gottesfrage in der philosophisch-theologischen Tradition und im Denken Paul Tillichs, Essen 1978.

Thatcher, A., The ontology of Paul Tillich, London 1978.

Wenz, G., Subjekt und Sein. Die Entwicklung der Theologie Paul Tillichs, München 1979.

Wernsdörfer, T., Die entfremdete Welt. Eine Untersuchung zur Theologie Paul Tillichs, Stuttgart 1968.

Wittschier, S., Paul Tillich: seine Pneuma-Theologie. Ein Beitrag zum Problem Gott und Mensch, Nürnberg 1975.

7. Aufsätze und Beiträge

Bayer, O., Paul Tillich, in: Ders., Theologie (= Handbuch Systematischer Theologie, hrsg. von C. H. Ratschow, Bd. 1), Gütersloh 1994, S. 185–280.

Clayton, J., Was ist falsch in der Korrelationsmethode? in: Neue Zeitschrift für systematische Theologie und Religionsphilosophie 16 (1974), S. 93–111.

Heinrichs, J., Der Ort der Metaphysik im System der Wissenschaften bei Paul Tillich. Die Idee einer universalen Sinnhermeneutik, in: Zeitschrift für katholische Theologie 92 (1970), S. 249–286.

Hummel, G., Das frühe System Paul Tillichs: Die „Systematische Theologie von 1913", in: Neue Zeitschrift für systematische Theologie und Religionsphilosophie 35 (1993), S. 115–132.

Richard, J., Symbolisme et analogie chez Paul Tillich, in: Laval théologique et philosophique 32 (1976), S. 43–76; 33 (1977), S. 39–60 u. S. 183–202.

Ringleben, J., Paul Tillichs Theologie der Methode, in: Neue Zeitschrift für systematische Theologie und Religionsphilosophie 17 (1975), S. 246–268.

Rössler, A., Paul Tillichs Programm einer evangelischen Katholizität, in: Ökumenische Rundschau 35 (1986), S. 415-427.

Scharlemann, R. P., Der Begriff der Systematik bei Paul Tillich, in: Neue Zeitschrift für systematische Theologie und Religionsphilosophie 8 (1966), S. 242–254.

Schupp, F., Der Ort der Theologie im System der Wissenschaften bei Paul Tillich, in: Zeitschrift für katholische Theologie 90 (1968), S. 451–461.

Schüßler, W., Paul Tillich zum Problem der Säkularisierung, in: Trierer Theologische Zeitschrift 95 (1986), S. 192–207.

Schüßler, W., „Gott über Gott". Ein Zentralbegriff Paul Tillichs, in: Stimmen der Zeit 205 (1987), S. 765–772.

Schüßler, W., Theologie muß Angriff sein. Das Religions- und Theologieverständnis Paul Tillichs, in: Freiburger Zeitschrift für Philosophie und Theologie 34 (1987), S. 513–529.

Schüßler, W., Paul Tillich et Karl Barth. Leurs premiers échanges dans les années 20, in: Laval théologique et philosophique 44 (1988), S. 145–154.

Schüßler, W., Ontologie der Macht. Zur philosophischen Bestimmung der Macht im Denken Paul Tillichs, in: Zeitschrift für katholische Theologie 111 (1989), S. 1–25.

Schüßler, W., „Der Mensch ist unheilbar religiös." Zu Paul Tillichs dynamischem Glaubensbegriff, in: Freiburger Zeitschrift für Philosophie und Theologie 40 (1993), S. 298–311.
Schüßler, W., Das Kopernikanische Prinzip und die Theologie der Religionen. Zu Paul Tillichs religionsphilosophischem Beitrag zum interreligiösen Dialog, in: Zeitschrift für Missionswissenschaft und Religionswissenschaft 77 (1993), S. 137–151.
Schüßler, W., Das Paradox des Gebetes. Zu Paul Tillichs theonomer Gebetstheologie, in: Theologie und Philosophie 68 (1993), S. 242–246.
Schüßler, W., Protestantisches Prinzip versus natürliche Theologie? Zu Paul Tillichs Problemen mit einer natürlichen Theologie, in: Trierer Theologische Zeitschrift 102 (1993), S. 1–13.
Schüßler, W., Metaphysik und Theologie. Zu Paul Tillichs „Umwendung" der Metaphysik in der „Dogmatik" von 1925, in: Zeitschrift für katholische Theologie 117 (1995), S. 192–202.
Schüßler, W., Zum Verhältnis von Autorität und Offenbarung bei Karl Jaspers und Paul Tillich, in: K. Salamun (Hrsg.), Philosophie – Erziehung – Universität. Zu Karl Jaspers' Bildungs- und Erziehungsphilosophie, Frankfurt/M. 1995, S. 141–157.
Sturm, E., „Holy love claims life and limb". Paul Tillich's war theology (1914–1918), in: Zeitschrift für neuere Theologiegeschichte 2 (1995), S. 60–84.
Wagner, F., Absolute Positivität. Das Grundthema der Theologie Paul Tillichs, in: Neue Zeitschrift für systematische Theologie und Religionsphilosophie 15 (1973), S. 172–191.
Wenz, G., Theologie ohne Jesus? Anmerkungen zu Paul Tillich, in: Kerygma und Dogma 26 (1980), S. 128–139.

3. Archive und Sammlungen

Deutsches Paul-Tillich-Archiv: Universitätsbibliothek Marburg (Wilhelm-Röpke-Str. 4, D-35039 Marburg).
Amerikanisches Paul-Tillich-Archiv: Andover-Harvard Theological Library (45 Francis Avenue, Cambridge, Mass. 02138, USA).
The Paul Tillich Audio Tape Collection: Union Theological Seminary in Virginia (3401 Brook Road, Richmond, Virginia 23227, USA).

4. Tillich-Gesellschaften

Deutsche Paul-Tillich-Gesellschaft e.V. (seit 1960): c/o Prof. Lic. Dr. Dr. h. c. mult. Gert Hummel, Wiesenstraße 1, D-66121 Saarbrücken.

North American Paul Tillich Society (seit 1975): c/o Prof. Dr. Robert P. Scharlemann, Department of Religious Studies, Cocke Hall, University of Virginia, Charlottesville, Virginia 22903, USA.

Association Paul Tillich d'expression française (seit 1978): c/o Dr. Théo Junker, 28, cité du Kiem, L-3393 Roedgen, Luxemburg.

Paul Tillich genootschap Nederland/Belgie (seit 1993): c/o Sekretariaat, Schatkuilsestraat 4, NL-6611 KB Overasselt, Niederlande.

Brasilianische Paul-Tillich-Gesellschaft (seit 1995): c/o Prof. Dr. Étienne A. Higuet, Rua Coronel Cintra, 61, Moóca, 03105-050 Sao Paulo-SP, Brasilien.

5. Studienzentren

Paul-Tillich-Arbeitskreis an der Frankfurter Universität: c/o Prof. Dr. Yorick Spiegel, J. W. Goethe-Universität Frankfurt, Fachbereich ev. Theologie, Hausener Weg 120, 60489 Fankfurt/M.

Projet de recherche Paul Tillich: c/o Prof. Dr. Dr.h.c. Jean Richard, Université Laval, Faculté de Théologie, Cité universitaire, Québec, Canada G1K 7P4.

6. Zeittafel

1886	Am 20. August wird Paul Tillich in Starzeddel (heute: Starosiedle/Polen) geboren.
1904–1908	Studium der evangelischen Theologie in Berlin, Tübingen, Halle und wiederum Berlin.
1909	Erstes theologisches Examen, danach Pfarrverweser in Lichtenrade.
1910	Promotion zum Dr.phil. an der Universität Breslau.
1911–1912	Lehrvikariat in Nauen.
1912	Promotion zum Lic.theol. an der Universität Halle.
1912	Ordination an der St. Matthäuskirche in Berlin.
1912–1913	Hilfsprediger an der Erlöserkirche in Berlin-Moabit.
1913	*Systematische Theologie* (bisher unveröfftl.).
1914	Heirat mit Greti Wever.
1914–1918	Freiwilliger Feldgeistlicher an der Westfront.
1916	Habilitation für Theologie an der Universität Halle.
1919	Umhabilitation von Halle nach Berlin. *Über die Idee einer Theologie der Kultur.*
1919–1924	Privatdozent an der Universität Berlin.
1921	Scheidung von seiner ersten Frau Greti.
1923	*Das System der Wissenschaften nach Gegenständen und Methoden.*

1924	Heirat mit Hannah Werner. *Rechtfertigung und Zweifel.*
1924–1925	Extraordinarius für Systematische Theologie an der Philipps-Universität Marburg an der Lahn.
1925	*Religionsphilosophie. Dogmatik* (postum veröfftl.).
1925–1929	Ordinarius für Religionswissenschaft an der Sächsischen Technischen Hochschule Dresden.
1926	*Die religiöse Lage der Gegenwart. Das Dämonische. Kairos und Logos.*
1927–1929	Ordentlicher Honorarprofessor für Religionsphilosophie und Kulturphilosophie an der Universität Leipzig.
1928	*Das religiöse Symbol.*
1929–1933	Ordinarius für Philosophie und Soziologie an der Universität Frankfurt am Main.
1930	*Religiöse Verwirklichung.*
1933	Suspendierung vom Amt und Emigration in die USA. *Die sozialistische Entscheidung.*
1933–1934	Lecturer an der Columbia Universität in New York.
1933–1937	Lecturer am Union Theological Seminary in New York.
1936	*The interpretation of history.*
1937–1940	Associate Professor of Philosophical Theology am Union Theological Seminary in New York.
1940	Tillich wird amerikanischer Staatsbürger.
1940–1955	Professor of Philosophical Theology am Union Theological Seminary in New York.
1942–1944	Reden *„an meine deutschen Freunde“.*
1948	Erste Deutschlandreise nach dem Zweiten Weltkrieg. *The shaking of the foundations. The Protestant era.*
1951	*Systematic Theology I.*
1952	*The courage to be.*
1954	*Love, power, and justice.*
1955	*Biblical religion and the search for ultimate reality. The New Being.*
1955–1962	University Professor an der Harvard Universität.
1957	*Systematic Theology II. Dynamics of faith.*
1962	Friedenspreis des Deutschen Buchhandels.
1962–1965	John Nuveen Professor an der Federated Theological Faculty in Chicago.
1963	*Systematic Theology III. Christianity and the encounter of world religions. The eternal now. Morality and beyond.*
1965	Am 22. Oktober stirbt Paul Tillich in Chicago.

7. Personenregister

8. Sachregister

Beck'sche Reihe „Denker"

Herausgegeben von Otfried Höffe

Adorno, von Rolf Wiggershaus (BsR 510)
Antike Skeptiker, von Friedo Ricken (BsR 526)
Aristoteles, von Otfried Höffe (BsR 535)
Augustinus, von Christoph Horn (BsR 531)
Bacon, von Wolfgang Krohn (BsR 509)
Berkeley, von Arend Kulenkampff (BsR 511)
Camus, von Annemarie Pieper (BsR 507)
Cassirer, von Andreas Graeser (BsR 527)
Epikur, von Malte Hossenfelder (BsR 520)
Fichte, von Peter Rohs (BsR 521)
Foucault, von Urs Marti (BsR 513)
Frege, von Verena Mayer (BsR 534)
Freud, von Alfred Schöpf (BsR 502)
Galilei, von Klaus Fischer (BsR 504)
Horkheimer, von Zvi Rosen (BsR 528)
Humboldt, W. v., von Tilman Borsche (BsR 519)
Hume, von Jens Kulenkampff (BsR 517)
Jaspers, von Kurt Salamun (BsR 508)
Kant, von Otfried Höffe (BsR 506)
Konfuzius, von Heiner Roetz (BsR 529)
Locke, von Rainer Specht (BsR 518)
Machiavelli, von Wolfgang Kersting (BsR 515)
Marx, von Walter Euchner (BsR 505)
Newton, von Ivo Schneider (BsR 514)
Nietzsche, von Volker Gerhardt (BsR 522)
Ockham, von Jan P. Beckmann (BsR 533)
Peirce, von Klaus Oehler (BsR 523)
Piaget, von Thomas Kesselring (BsR 512)
Popper, von Lothar Schäfer (BsR 516)
Quine, von Henri Lauener (BsR 503)
Rawls, von Thomas W. Pogge (BsR 525)
Schelling, von H. M. Baumgartner/H. Korten (BsR 536)
Sokrates, von Günter Figal (BsR 530)
Spinoza, von Wolfgang Bartuschat (BsR 537)
Tillich, von Werner Schüßler (BsR 540)
Vorsokratiker, von Christof Rapp (BsR 539)
Wittgenstein, von Wilhelm Vossenkuhl (BsR 532)

Verlag C. H. Beck München

Buchanzeigen

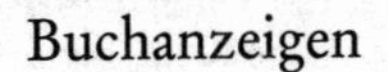